REPÈRES
PRATIQUES
NATHAN
R

La communication par l'image

Christiane Cadet - René Charles - Jean-Luc Galus

NATHAN

© Éditions Nathan, Paris 1990.
ISBN : 2-09-177688.2

Mode d'emploi

Divisé en 7 parties, l'ouvrage s'organise par doubles pages. Chaque double page fonctionne de la façon suivante :

Le repère de la partie de l'ouvrage.

Le sujet de la double page.

Quelques lignes expliquent le procédé ou son utilisation.

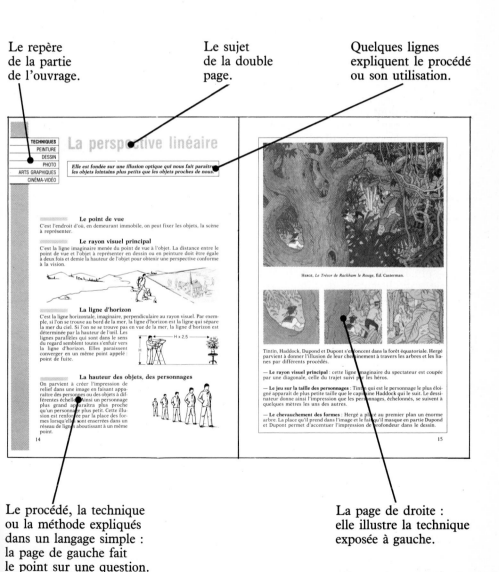

Le procédé, la technique ou la méthode expliqués dans un langage simple : la page de gauche fait le point sur une question.

La page de droite : elle illustre la technique exposée à gauche.

TECHNIQUES

PEINTURE

DESSIN

PHOTO

ARTS GRAPHIQUES

CINÉMA-VIDÉO

Composition, points forts, lignes de force

La composition d'une image correspond à l'organisation d'un certain nombre d'éléments identifiables par l'œil : taches, masses colorées, segments de droites, figures géométriques, éléments signifiants (motifs, objets, personnages).

Évolution de la composition

Au cours des siècles, l'image a évolué quant à son utilisation par l'individu et sa fonction dans la société. Cette évolution a eu des retentissements sur la manière dont elle s'est inscrite dans un espace donné : monument, tapisserie, tableau, page de livre, affiche, écran... Dans l'Antiquité, le style de certains monuments (bas-reliefs) entraîne la présence de figures allongées et répétitives. Au Moyen Âge, les styles roman et gothique suscitent des figures arrondies ou en ogive. Enfin, le développement de la peinture (une toile sur un cadre de bois) fait du rectangle la forme dominante à partir de laquelle s'organise progressivement l'image en Occident.

Points forts et lignes de force

Les points forts sont des passages obligés pour l'œil qui examine l'image :
— tache claire dans un ensemble foncé : ce seul élément constitue un pôle d'attraction immédiat ;
— plusieurs taches claires diversement réparties : elles constituent un véritable tracé lumineux de l'image qui oriente le regard ;
— des éléments identifiables intervenant dans la signification globale : motifs, objets, personnages. Un élément vivant (humain ou animal) constitue un point fort dans un ensemble inanimé.

Les lignes de force correspondent à des lignes simples (arête d'un mur, courbes d'un corps, ligne d'horizon) qui parcourent la photographie ou le tableau. Elles existent virtuellement dans l'espace géométrique du rectangle (diagonales, perpendiculaires, parallèles) et permettent donc d'aider aussi bien à la construction qu'à la lecture de l'image.

Composition symétrique

Il s'agit d'une décomposition du rectangle en éléments qui se correspondent. Ce type de construction, très répandu au Moyen Âge, s'est perpétué au cours des siècles dans la peinture et la photographie. La composition symétrique permet une décomposition du rectangle qui favorise la répétition de figures semblables de part et d'autre d'un axe. Le maillage des verticales, des horizontales et des obliques offre différentes possibilités de points forts et de lignes de force.

Composition au tiers

Il s'agit d'une décomposition du rectangle en multiples de 3. Ce type de construction employé en peinture à partir du XVe siècle italien (*quattrocento*) est courant en photographie. La composition au tiers permet de rompre la monotonie de la symétrie tout en sauvegardant un effet d'équilibre.

très profonde

secondaire peu important

primaire important action sur l'espace & PERSP.

POLLAIOLO, *Le Martyre de saint Sébastien*, Londres, National Gallery.

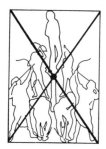 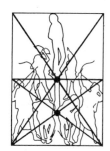 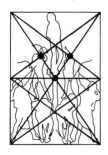

La composition symétrique du tableau de Pollaiolo

1. Le rectangle est décomposé de façon simple : on trace les diagonales principales.

2. À partir des diagonales on a tracé une horizontale et une verticale principale.

3. On peut alors procéder au tracé des diagonales secondaires. L'image est progressivement découpée de façon symétrique.

TECHNIQUES
PEINTURE
DESSIN
PHOTO
ARTS GRAPHIQUES
CINÉMA-VIDÉO

Horizontales, verticales, obliques

Les formes les plus complexes sont le résultat d'une combinaison entre points et lignes.
Outre la signification qu'elles prennent en se combinant, les formes simples ont une valeur de suggestion particulière.

La ligne horizontale

C'est une ligne froide, calme et plate qui peut évoquer l'horizon ou l'immobilité d'un corps étendu. Elle s'accorde parfaitement avec le format rectangulaire.

 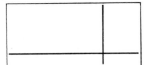 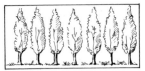

Évocation de l'horizon.

Impression de profondeur, étalement des plans.

Élargissement apparent de la surface.

La ligne verticale

Elle évoque la station debout et exprime la hauteur. Elle ne possède pas la propriété d'approfondir l'espace : si le regard est confronté à plusieurs verticales, il est arrêté et ne pénètre pas dans la profondeur de l'image.

La diagonale

Elle est animée d'un mouvement qui emporte le regard. C'est elle qui oriente le sens de lecture de l'image.

La ligne oblique

Certaines lignes obliques interviennent dans la composition géométrique du plan (diagonales principales et secondaires). D'autres sont des lignes libres qui créent facilement une impression d'instabilité. Toutes contribuent au dynamisme.

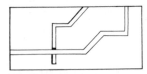 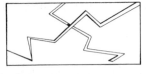 

Utilisation des diagonales : mouvement ascendant très fort.

Lignes obliques libres : instabilité, inquiétude.

Verticales + horizontales + obliques = lignes brisées : effet de rupture.

6

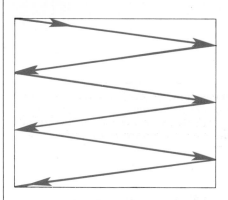 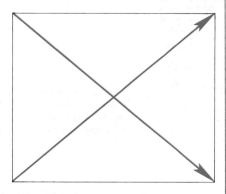

Premier regard :
balayage de gauche à droite.

Deuxième regard :
parcours des diagonales.

Confronté à une photographie ou à un tableau, l'œil effectue un itinéraire qui part du point supérieur gauche puis balaie la surface de haut en bas et de gauche à droite. L'œil parcourt ensuite les diagonales de l'image.

Sens de lecture prioritaire.

Le choix du peintre et du photographe tient compte de cette orientation naturelle de la lecture mais il peut aussi la canaliser en imposant un trajet prioritaire ou parfois même la contrarier par l'agencement des éléments.

Le rôle des diagonales dans l'orientation de la lecture de l'image

TECHNIQUES
PEINTURE
DESSIN
PHOTO
ARTS GRAPHIQUES
CINÉMA-VIDÉO

Cercles, courbes et motifs

Figure géométrique parfaite, dans la mesure où elle est entièrement achevée et close, le cercle occupe une place prépondérante dans l'art monumental religieux. Les courbes confèrent à l'image une douceur qui tempère la dureté des droites et des angles.

Utilisation de l'encadrement circulaire

Le cadre circulaire est moins utilisé que le rectangle. Il intervient en architecture (rosace des cathédrales, vitraux) et reste fréquent en peinture jusqu'à la Renaissance dans la mesure où certains tableaux sont destinés à orner l'intérieur des églises et épousent les formes architecturales. Cadre de portrait, médaillon, il est utilisé ultérieurement chaque fois qu'un effet particulier veut être produit.

Cadre circulaire et composition de l'image

Le cadre circulaire engendre la redondance de courbes à l'intérieur de l'image avec un ou plusieurs points forts qui sont le centre du cercle, cadre de l'image, et les centres d'autres cercles imaginaires non entièrement construits. Ces lignes correspondent à des formes concrètes (arrondi d'un visage, d'un buste ou d'un bras, dessin d'un vase ou d'un bol, motif floral). Le cercle imaginaire fait correspondre les formes entre elles et amène une circulation du regard.

Cercles et courbes à l'intérieur d'un cadre rectangulaire

Le cercle et la courbe suggèrent un certain nombre de connotations (associations d'idées à la fois personnelles et communes à un groupe de même culture). Ce sont la protection (dans la mesure où il s'agit d'une forme close), la douceur féminine (par évocation du ventre maternel), l'importance (en raison de la notion de centre propre à cette forme géométrique, suggérée par le soleil au zénith ou le pistil de la fleur).

Harmonie et équilibre. Si les formes circulaires interviennent en relation avec des droites et des obliques (cadre du rectangle, diagonales principales et secondaires, lignes libres) la courbe introduit un élément de régulation et de tempérance qui contribue à l'effet général d'harmonie et d'équilibre.

Ces formes circulaires peuvent être amenées soit par des éléments présents dans l'image (soleil, visage, roue...) soit, dans le cas d'un éclairage à la bougie, par les zones concentriques qui partent du foyer lumineux et dessinent des ombres progressivement accentuées.

Répétition de motifs

Le cercle n'est pas la seule forme géométrique susceptible de se répéter à l'intérieur de l'image. L'art de la composition, en photographie comme en peinture, peut consister à organiser le cadre de façon à provoquer la répétition de motifs, c'est-à-dire d'éléments réels semblables ou de formes optiques imaginaires.

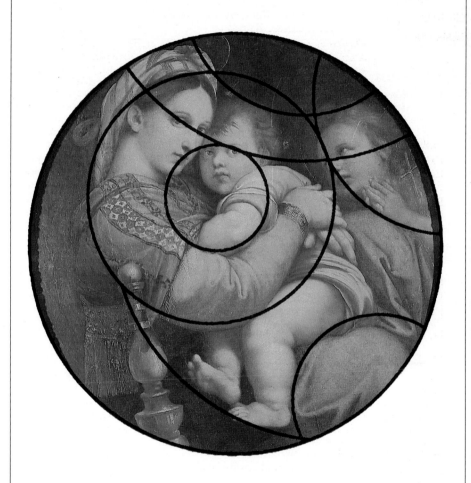

RaphaËl, *La Vierge à la chaise*, (1513-1514), palais Pitti, Florence.

Ce tableau de Raphaël associe la vierge et l'enfant dans une sorte de tourbillon concentrique. Aucune forme n'est angulaire ou agressive. Les formes arrondies dominent, qu'il s'agisse de l'auréole symbolique, de l'ovale des visages, de la courbe des membres ou de la sculpture du dossier. Un cercle réunit la mère et l'enfant. Un autre cercle permet d'associer les trois regards. Le visage de l'enfant apparaît au centre de trois formes concentriques.

TECHNIQUES

PEINTURE

DESSIN

PHOTO

ARTS GRAPHIQUES

CINÉMA-VIDÉO

Le nombre d'or

Le nombre d'or correspond à un rapport mathématique capable de créer un effet d'harmonie par la mise en place de proportions idéales.

La recherche du nombre d'or

Les Grecs ont cherché à appliquer à l'ensemble des arts une constatation effectuée en musique : les intervalles musicaux perçus comme harmonieux sont réglés par des rapports numériques (octave, quinte, quarte). Ils en ont déduit que l'impression de beauté est d'ordre mathématique et qu'il existe une harmonie cosmique universelle. Cette théorie a été exprimée par le mathématicien Pythagore, bâtisseur d'une véritable religion des nombres.

La recherche du nombre d'or correspond à celle d'une relation idéale de l'œuvre et des éléments qui la composent. Au Ve siècle avant J.-C., le Parthénon, temple d'Athènes, fut construit selon les proportions dictées par le nombre d'or.

Oublié au Moyen Âge, le nombre d'or fut repris en peinture à la Renaissance et enseigné jusqu'au XXe siècle.

Calcul

Le nombre d'or peut constituer une référence en photographie, en peinture ou en architecture, et permettre une composition particulièrement équilibrée.

Le calcul a pour but de déterminer des proportions idéales à partir d'un point. Ce point correspond à la section d'or. La recherche de la section d'or permet de créer des rapports harmonieux.

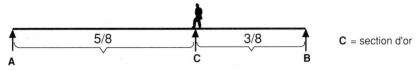

5/8   3/8   **C** = section d'or

A   C   B

Le rapport entre le segment le plus grand (AB) et le segment moyen (AC) est égal au rapport entre le segment moyen (AC) et le plus petit segment (CB).

Le nombre obtenu : 1,618 (appelé nombre d'or) est invariable.

Construction de l'image

Si l'on veut éviter les calculs, on peut procéder approximativement au moyen d'une série de rapports numériques. On envisage une suite de nombres tels que chaque nombre est égal à la somme des 2 nombres qui le précèdent.

Exemple : 3 + 2 = 5 + 3 = 8 + 5 = 13 + 8 = 21 + 13 = 34... Cette suite a été proposée par Fibonacci, mathématicien du XIIIe siècle. Elle permet par exemple de construire un rectangle dont la longueur totale de 8 cm est divisée à la section d'or en 2 segments de 5 et 3 cm. Le rapport entre les nombres de la suite (5, 8, 13, 21, etc...) est proche de 1,6.

La méthode la plus simple sur le plan pratique consiste à plier 3 fois de suite en 2 sur la longueur puis sur la largeur, un morceau de papier correspondant aux dimensions de l'image.

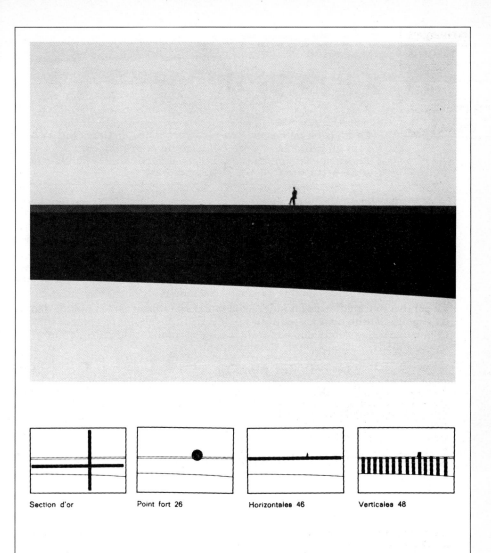

Section d'or   Point fort 26   Horizontales 46   Verticales 48

Harald MANTE, *La Composition en photographie.*

Dans les compositions dépouillées, on obtient un effet d'harmonie en faisant se détacher un personnage ou un élément de décor à la section d'or. Ce résultat peut correspondre à une intention visuelle du photographe ou être obtenu par recadrage au développement.

La position de l'homme sur le pont détermine la section d'or de l'horizontale. Le rapport de la surface noire et de la surface blanche ne correspond pas à la section d'or puisqu'il est d'environ 1 à 4, mais il évite la rigueur monotone d'un équilibre trop précis.

TECHNIQUES

PEINTURE

DESSIN

PHOTO

ARTS GRAPHIQUES

CINÉMA-VIDÉO

L'illusion de la profondeur

La division de l'espace en plusieurs plans distincts qui s'étagent en profondeur crée l'illusion de la profondeur.
Le jeu sur les couleurs des objets éloignés crée la perspective colorée.

Histoire de la perspective

Avant la Renaissance, l'homme a exploité d'autres codes de représentation.

La perspective frontale : les lignes, qui seraient fuyantes sur une vue perspective, sont parallèles. Les dimensions des personnages ne sont pas proportionnelles à leur éloignement dans l'espace mais dépendent de leur importance religieuse ou sociale (exemple : l'Égypte ancienne).

La perspective médiévale : le sujet principal d'un tableau est le point de départ des lignes de fuite dont les multiples points de fuite ne sont pas placés sur une même ligne. La profondeur apparaît rendue en hauteur ou par la diminution des grandeurs en fonction de l'éloignement.

Le rôle des plans

L'illusion de la profondeur est donnée par des plans distincts s'appuyant chacun sur des repères : des groupes de personnages ou de choses correspondent à des plans différents.

Le chevauchement des formes

L'objet qui est en partie caché par un autre donne l'illusion d'être plus en arrière.

Le jeu sur la taille et l'échelle des personnages ou des objets

L'œil juge des distances par les tailles respectives des personnes ou des choses diversement éloignées.

L'illusion de la couleur : la perspective colorée

Dans la nature : l'action de l'atmosphère sur la diffusion de la lumière donne aux objets lointains une teinte bleutée.

Dans la peinture : en estompant les contrastes au fur et à mesure que les formes sont éloignées, l'artiste donne l'illusion de la profondeur.

Deux procédés permettent d'augmenter l'impression d'espace : l'utilisation de couleurs pâles au 3e plan et la présence d'un élément sombre au 1er plan.

Bertrandon DE LA BROCQUINIÈRE,
Voyage d'outre-mer, Philippe le Bon au camp de Mussy-l'Évêque.

Ce tableau du XVe siècle est coupé en deux parties. **La partie supérieure**, peinte en camaïeu bleuté, détermine un paysage lointain. Elle correspond à un arrière-plan où la perspective est quasiment inexistante. **La partie inférieure** de la toile représente la scène proprement dite avec les personnages et les bâtiments à l'architecture précise. **Les points** de fuite sont répartis au centre de l'image.

TECHNIQUES
PEINTURE
DESSIN
PHOTO
ARTS GRAPHIQUES
CINÉMA-VIDÉO

La perspective linéaire

Elle est fondée sur une illusion optique qui nous fait paraître les objets lointains plus petits que les objets proches de nous.

Le point de vue

C'est l'endroit d'où, en demeurant immobile, on peut fixer les objets, la scène à représenter.

Le rayon visuel principal

C'est la ligne imaginaire menée du point de vue à l'objet. La distance entre le point de vue et l'objet à représenter en dessin ou en peinture doit être égale à deux fois et demie la hauteur de l'objet pour obtenir une perspective conforme à la vision.

La ligne d'horizon

C'est la ligne horizontale, imaginaire, perpendiculaire au rayon visuel. Par exemple, si l'on se trouve au bord de la mer, la ligne d'horizon est la ligne qui sépare la mer du ciel. Si l'on ne se trouve pas en vue de la mer, la ligne d'horizon est déterminée par la hauteur de l'œil. Les lignes parallèles qui sont dans le sens du regard semblent toutes s'enfuir vers la ligne d'horizon. Elles paraissent converger en un même point appelé : point de fuite.

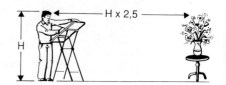

La hauteur des objets, des personnages

On parvient à créer l'impression de relief dans une image en faisant apparaître des personnes ou des objets à différentes échelles. Ainsi un personnage plus grand apparaîtra plus proche qu'un personnage plus petit. Cette illusion est renforcée par la place des formes lorsqu'elles sont enserrées dans un réseau de lignes aboutissant à un même point.

HERGÉ, *Le Trésor de Rackham le Rouge*, Éd. Casterman.

Tintin, Haddock, Dupond et Dupont s'enfoncent dans la forêt équatoriale. Hergé parvient à donner l'illusion de leur cheminement à travers les arbres et les lianes par différents procédés.

— **Le rayon visuel principal** : cette ligne imaginaire du spectateur est coupée par une diagonale, celle du trajet suivi par les héros.

— **Le jeu sur la taille des personnages** : Tintin qui est le personnage le plus éloigné apparaît de plus petite taille que le capitaine Haddock qui le suit. Le dessinateur donne ainsi l'impression que les personnages, échelonnés, se suivent à quelques mètres les uns des autres.

— **Le chevauchement des formes** : Hergé a placé au premier plan un énorme arbre. La place qu'il prend dans l'image et le fait qu'il masque en partie Dupond et Dupont permet d'accentuer l'impression de profondeur dans le dessin.

TECHNIQUES
PEINTURE
DESSIN
PHOTO
ARTS GRAPHIQUES
CINÉMA-VIDÉO

Lignes de fuite, points de fuite

Selon les lois établies par la perspective, les lignes qui sont parallèles dans la nature paraissent se rejoindre sur une image en un point appelé le point de fuite.

Les lignes de fuite et le point de fuite principal

Ce sont les lignes imaginaires que l'on peut faire passer par les objets ou les personnages d'une image. Ces lignes se rejoignent vers la ligne d'horizon. Elles aboutissent à un même point. Ce point, situé sur la ligne d'horizon, s'appelle le point de fuite.

point de fuite

ligne d'horizon

lignes de fuites

Les perspectives à un ou plusieurs points de fuite

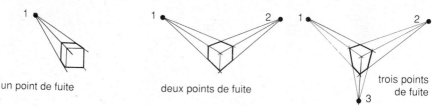

un point de fuite

deux points de fuite

trois points de fuite

La place du point de fuite et la construction de l'image

Si l'on veut composer une image avec un effet de profondeur marqué, on fait se joindre rapidement les lignes de fuite sur le point de fuite. Si l'on veut, au contraire, une image avec un effet de profondeur moins accentué, on place le point de fuite hors du cadre de l'image.

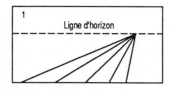

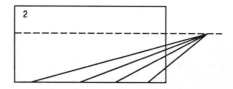

Handwritten annotations: Perspective linéaire — étude d'y enne — vision obj. de l'environnement monofacale — fond ouvert — vision unifiée

LE LORRAIN, *Le Port d'Ostie avec l'embarquement de sainte Paule.*

La construction du tableau repose sur la convergence de toutes les lignes de fuite vers un seul et même point fixé au centre de la ligne d'horizon. C'est ce que l'on appelle la perspective classique. Cette composition a pour effet d'accentuer l'impression de profondeur de la scène représentée. Le Lorrain peint des sites imaginaires d'une idéale harmonie où il introduit parfois un édifice réel.

TECHNIQUES
PEINTURE
DESSIN
PHOTO
ARTS GRAPHIQUES
CINÉMA-VIDÉO

L'échelle des plans

L'échelle des plans correspond à la grandeur des êtres animés, objets ou éléments de décor représentés dans l'image par rapport à la taille de celle-ci. Elle ne dépend pas de l'agrandissement de l'image mais traduit un rapport de proportion entre le sujet et le cadre.

	Fonction générale	Dans quelles images en trouve-t-on ?	Au cinéma, à quoi cela sert-il ?
Plan général	Décrire.	— **Peintures** ou **photographies** de paysages. — **Vignettes de B.D.** ou plans de **romans-photos** intervenant au début du récit ou correspondant à la perception d'un personnage.	— Montrer le contexte de la scène. — Susciter une émotion esthétique. — Suggérer la solitude du héros (personnage réduit à l'état de silhouette ou de point dans l'immensité du plan).
Plan large	Situer.	**Paysages d'accompagnement** servant de toiles de fond à des scènes religieuses ou profanes présentées **en peinture**.	— Évoquer globalement l'action. — Suggérer le contexte sans lui accorder une place particulière (exemple : scènes de batailles).
Vue de pied	Attester.	— **Portraits officiels** (peintures ou photographies). — **Vignettes de B.D.** correspondant au moment où l'action privilégie un personnage.	Distinguer un personnage de ce qui l'entoure, lui accorder une importance, le présenter en action.
Plan moyen	Attirer l'attention.	**Portraits** laissant à l'attitude et au costume un rôle dans la signification.	Accorder une importance croissante au personnage et à ses gestes, intensifier l'action.
Gros plan	Dramatiser, émouvoir.	**Portraits** cherchant à traduire une dimension intérieure.	Exprimer la sensibilité, faire communiquer le spectateur avec les sentiments du personnage.
Très gros plan	Arrêter l'attention, porter l'émotion à son paroxysme.	— **Images publicitaires** jouant sur la valeur d'un détail. — **Photographies et peintures** à caractères symbolique ou fantastique. — **Vignettes de B.D.** suggérant l'intensité de l'émotion.	Saisir un détail pour lui accorder une valeur symbolique ou fantastique.

**1. Plan général,
ou plan de grand ensemble.**
Il embrasse le décor suivant la possibilité la plus étendue du champ visuel.

**2. Plan large,
ou plan de demi-ensemble.**
Il présente le décor dans lequel évoluent les personnages sans lui accorder une place prépondérante.

3. Vue de pied, ou plein cadre
Elle correspond à la représentation intégrale du personnage qui remplit le cadre de l'image.

4. Plan moyen
Il présente le personnage en buste.

Remarque : Au cinéma et en bande dessinée on distingue trois possibilités de coupe pour le plan moyen : à la poitrine (plan poitrine), à la taille (plan américain), aux genoux (plan italien). Dans ces deux genres interviennent aussi le gros plan (le visage) et le très gros plan (un détail du visage ou du corps).

TECHNIQUES
PEINTURE
DESSIN
PHOTO
ARTS GRAPHIQUES
CINÉMA-VIDÉO

L'angle de vue

Un personnage ou un objet peuvent être perçus de face, de dos, de profil ou de trois quarts. La vision s'effectue soit au même niveau que le sujet, soit de haut en bas ou de bas en haut. Ce rapport entre l'œil et le sujet regardé est appelé angle de vue.

Vue de face

Cette vision, encore appelée vision frontale, a une fonction de contact. Elle donne l'impression que le personnage représenté s'adresse directement au spectateur ou au lecteur. Exemples d'utilisation : en publicité, le personnage paraît apostropher le destinataire et capte obligatoirement son attention ; s'il s'agit d'une affiche électorale, le candidat donne l'impression de regarder le public droit dans les yeux et suscite la confiance par un effet d'engagement. Ce procédé peut avoir des effets négatifs : le destinataire de l'image peut se sentir agressé.

Vue de dos ou de profil *(arrière pour édifice auto)* *(côté et pour architecture)*

Les vues de dos ou de profil sont moins couramment utilisées que les précédentes. Elles expriment toujours une intention particulière.

Vue de dos : elle crée un effet insolite et énigmatique. Un personnage dessiné, photographié ou filmé de dos est indéchiffrable. Le lecteur (ou le spectateur) reste insatisfait et attend inconsciemment qu'il se retourne.

Vue de profil : l'ombre d'un personnage vu de profil peut amener une dimension fantastique ou évoquer l'imminence d'un danger. Ce procédé est fréquent dans le western et le récit policier.

Vue de trois quarts *avant / arrière* *(de biais)*

Le trois quarts peut apparaître plus neutre, moins subjectif que la vision frontale : l'affirmation du personnage est moins forte, l'effet d'apostrophe s'adoucit et se transforme en invitation à regarder.

Vue au niveau du sujet

C'est la vue qui est le plus souvent utilisée dans la mesure où elle n'indique pas de parti pris, apparaissant neutre et objective.

La plongée

Le regard domine le personnage ou le décor.

La plongée peut servir à décrire. Vu du haut, un paysage est plus proche du plan, plus lisible dans sa structure physique et géographique. S'il s'agit d'un personnage, la vue en plongée donne souvent l'impression que celui-ci est dominé.

La contre-plongée

La vue en contre-plongée résulte du fait que celui qui regarde est situé en contrebas du sujet regardé. L'effet peut être positif s'il n'est pas appuyé : la personne représentée donne une impression de puissance, de volonté et de personnalité. L'effet est négatif si la contre-plongée est accentuée. L'image apparaît autoritaire et despotique.

1 Vue de profil

4 Vue en plongée

2 Vue de trois quarts

5 Vue au niveau du sujet

3 Vue de face

6 Vue en contre-plongée

TECHNIQUES
PEINTURE
DESSIN
PHOTO
ARTS GRAPHIQUES
CINÉMA-VIDÉO

Couleurs primaires et secondaires

La peinture utilise des pigments colorés de nature chimique à partir desquels sont obtenues des teintes différentes.

Comment obtenir des couleurs en peinture ?

Les couleurs-pigments à partir desquelles toutes les autres couleurs peuvent être obtenues sont le jaune, le rouge et le bleu. Elles sont appelées couleurs primaires.

Le mélange de deux couleurs primaires permet d'obtenir une couleur secondaire. La couleur primaire non utilisée est dite complémentaire de la couleur obtenue.

Couleurs primaires mélangées	Couleurs secondaires obtenues	Complémentaires des couleurs obtenues
jaune + rouge	orangé	bleu
jaune + bleu	vert	rouge
rouge + bleu	violet	jaune

Les couleurs primaires : le bleu, le jaune et le rouge. Leur mélange donne les couleurs secondaires : orangé, violet et vert.

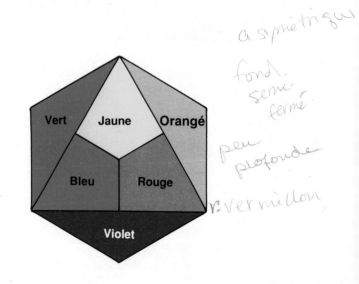

22

MATISSE, *Nature morte aux grenades*, 1947, Nice, musée Matisse.

le bord de la table est en perspective linéaire.

À l'ensemble rouge-jaune-noir de l'intérieur s'oppose l'ensemble vert-bleu-blanc de l'extérieur. Le choix des couleurs est guidé par la recherche d'une harmonie qui l'emporte sur le souci de représentation du réel.

TECHNIQUES

PEINTURE

DESSIN

PHOTO

ARTS GRAPHIQUES

CINÉMA-VIDÉO

L'harmonie des couleurs

L'analyse systématique de tableaux et de photographies fait apparaître des constantes. Ces règles ont d'abord été appliquées instinctivement par les peintres. Elles ont été exposées sous forme de théorie par l'école du Bauhaus (fondée en 1919 à Weimar) et trouvent actuellement une application technologique dans la confection des tissus.

L'équilibre entre les couleurs : harmonie en quantité

L'équilibre visuel entre deux couleurs dépend d'une part de la luminosité de la couleur, d'autre part de la surface plus ou moins importante qu'elle occupe. Exemples : le rouge et le vert qui sont de luminosité voisine présentent un rapport équilibré lorsqu'ils sont répartis en surfaces égales. Inversement, la juxtaposition d'un jaune (couleur claire) et d'un violet (couleur foncée) n'apparaît équilibrée que si la surface occupée par le violet est beaucoup plus importante que la surface jaune.

Rapports de proportion : si l'on considère les relations entre jaune/violet, orange/bleu ou rouge/vert, les rapports de proportion qui permettent un équilibre agréable à l'œil peuvent être formulés de la manière suivante :
Rapport idéal : jaune (1/4) + violet (3/4); orangé (1/3) + bleu (2/3); rouge (1/2) + vert (1/2)

L'accord entre les couleurs : harmonie en qualité

Deux tons : ce sont bien souvent des couleurs diamétralement opposées sur le cercle chromatique.
Exemple : jaune/violet

Trois tons : il s'agit le plus souvent de couleurs situées à égale distance sur le cercle chromatique.
Exemple : jaune/rouge/bleu   ou   orangé/vert/violet

Quatre tons : on choisit quatre couleurs équidistantes sur le cercle chromatique.
Exemple : jaune/violet/rouge orangé/bleu-vert

Variations

Changement d'intensité : d'une manière générale, le fait d'éclaircir une couleur dans une image modifie l'équilibre de l'ensemble et conduit à foncer la couleur diamétralement opposée sur l'axe chromatique (un jaune très clair appelle un violet foncé).

Variations autour d'une seule couleur : certaines compositions utilisent les variantes d'une seule couleur de base et jouent sur l'impact psychologique de la couleur (dureté d'un bleu, apaisement d'un vert, chatoiement d'un jaune orangé).

Compositions paradoxales

Il s'agit de rendre intéressantes par une composition subtile des associations de couleurs perçues habituellement comme incompatibles par l'œil (exemple : utilisation simultanée d'un grand nombre de couleurs franches).

été –

1er plan

av plan

« Chevauchée pour la fête de mai », du manuscrit *Les Très Riches Heures du duc de Berry*, par Paul DE LIMBOURG, 1410, Chantilly, musée Condé.

Effet d'accord joyeux dû à la multiplicité des couleurs présentes dans le tableau (jaune d'or, vert, rouge, bleu, gris, blanc, noir) et à leur répartition harmonieusement calculée.

Harmonie des complémentaires (exemple : robes vertes des dames, coiffe et habit rouge d'un seigneur).

Effet de calme et d'équilibre en raison de la dominance du vert et du jeu sur les variations de cette couleur. À l'époque où le duc de Berry commanda au meilleur miniaturiste de son temps un « livre d'heures », livre de prières enrichi d'enluminures, le vert clair était en peinture un pigment d'une rareté coûteuse. D'autre part, il était d'usage pour les jeunes femmes de l'aristocratie de recevoir au mois de mai des habits verts, symbole du renouveau printanier.

25

TECHNIQUES
PEINTURE
DESSIN
PHOTO
ARTS GRAPHIQUES
CINÉMA-VIDÉO

Le contraste des couleurs

Le contraste des couleurs permet aux formes et aux volumes de se détacher. Il aide l'œil à percevoir presque immédiatement l'organisation de l'image et permet de la rendre très lisible.

Contraste clair/obscur

Le contraste maximum est celui d'une couleur blanche associée à une couleur noire. Ces deux valeurs se dissocient parfaitement à l'œil, mais ne constituent pas les seules possibilités d'opposition entre couleurs claires et foncées.

En règle générale, les effets produits par la juxtaposition de teintes peuvent correspondre aux intentions suivantes :
— mettre en relief, détacher et valoriser le sujet principal (clair) placé dans un contexte plus foncé ;
— donner une impression de profondeur à l'image par étalement de plans en opposition (clairs ou foncés).

La technique appelée précisément « clair-obscur » a été systématiquement explorée par certains peintres (Elsheimer, Vinci, Masaccio, Rembrandt).

Très utilisée en photographie et en cinéma noir et blanc, elle reste une des techniques fondamentales de l'image colorée : l'image, qu'elle soit fixe ou mobile est circonscrite aux deux dimensions du cadre. Or, c'est l'équilibre et la répartition de zones claires ou foncées qui contribue à recréer la vision tridimensionnelle de l'œil.

Contraste chaud/froid

Couleurs chaudes, couleurs froides : on désigne par couleurs chaudes, les couleurs proches de la couleur rouge (jaune orangé, orange, rouge, rouge-violet) et par couleurs froides celles qui sont proches du bleu-vert (jaune-vert, vert, bleu, bleu-violet, violet).

Diverses expériences ont attesté que couleurs chaudes et couleurs froides agissent différemment sur les centres nerveux : excitation, dynamisme, voire agressivité pour les couleurs chaudes, calme, apaisement, prédisposition à l'immobilité pour les couleurs froides.

Le contraste entre couleurs chaudes et couleurs froides peut également intervenir pour donner une impression de relief et de profondeur à l'image : plus un objet est éloigné, plus il acquiert une couleur froide en raison de la coloration bleutée du voile atmosphérique.

La loi de Chevreul : la perception d'une couleur provoque simultanément dans l'œil humain l'exigence de sa complémentaire.

Cette loi, appelée du nom de son inventeur loi de Chevreul, peut être attestée par l'expérience suivante facile à reconstituer :
1. disposer un petit carré d'un gris neutre au centre d'un grand carré jaune ;
2. fixer la surface grise pendant un laps de temps d'environ 30 secondes ;
3. l'observateur constate alors que la surface grise se colore simultanément et prend une dominante d'un bleu-violet (couleur complémentaire du jaune).

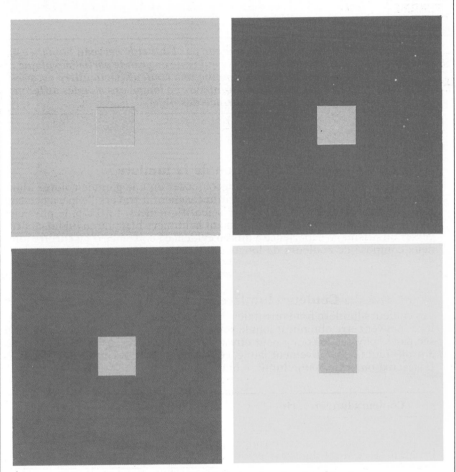

Expérience de la loi de contraste simultané
Notre œil exige spontanément la complémentaire de la couleur que nous fixons.

Dans quatre carrés de couleurs pures, on place chaque fois un petit carré gris neutre. Chacun de ces petits carrés rayonne de la couleur complémentaire à la couleur principale.
L'expérience consiste à fixer intensément le carré gris :
— Sur fond rouge-orangé, il paraît bleuâtre.
— Sur fond bleu-vert, il tire vers le rouge.
— Sur fond violet, il prend des nuances jaunes.
— Sur fond jaune, il se teinte de violet.

TECHNIQUES

PEINTURE

DESSIN

PHOTO

ARTS GRAPHIQUES

CINÉMA-VIDÉO

La couleur et la lumière

La perception de la couleur par l'œil et le cerveau humain est un phénomène complexe qui reste en grande partie inexpliqué : ce qui est interprété comme une couleur particulière est provoqué par des rayons lumineux de longueurs d'ondes différentes réfléchis par la surface des objets.

La décomposition de la lumière

La lumière solaire blanche peut se décomposer en une gamme colorée allant du rouge au violet. Ce qui est perçu intuitivement à travers l'expérience courante de l'arc-en-ciel peut se vérifier scientifiquement. En 1676, le physicien Newton a décomposé expérimentalement la lumière blanche en lui faisant traverser un prisme. L'expérience a mis en évidence l'existence d'un spectre lumineux composé de couleurs de longueurs d'ondes différentes.

Couleurs-lumière primaires et secondaires

Les couleurs-lumière fondamentales (à partir desquelles toutes les autres couleurs peuvent être obtenues) sont le rouge, le vert et le bleu. L'expérience réalisée par le physicien Young peut être couramment vérifiée : si l'on dispose de 3 projecteurs respectivement jaune, vert et bleu et si l'on fait converger leurs faisceaux, on obtient une lumière blanche.

Couleurs-lumière primaires	Couleurs-lumière secondaires
lumière rouge + lumière verte lumière bleue + lumière rouge lumière verte + lumière bleue	lumière jaune lumière magenta (rouge orangé) lumière cyan (bleu-vert)

La photographie, le cinéma et la télévision font appel à cette opération de mélange des lumières colorées, encore appelée synthèse additive.

Exemples d'utilisation :
En télévision, l'image filmée est décomposée par un système de prisme qui renvoie les composantes de la lumière (rouge, vert, bleu) sur des tubes ou capteurs. L'image est ensuite restituée par le téléviseur grâce à l'utilisation des mêmes composantes colorées.
Pour les éclairages en studio, on utilise des projecteurs respectivement bleus, verts et rouges pour construire des ambiances lumineuses variées.

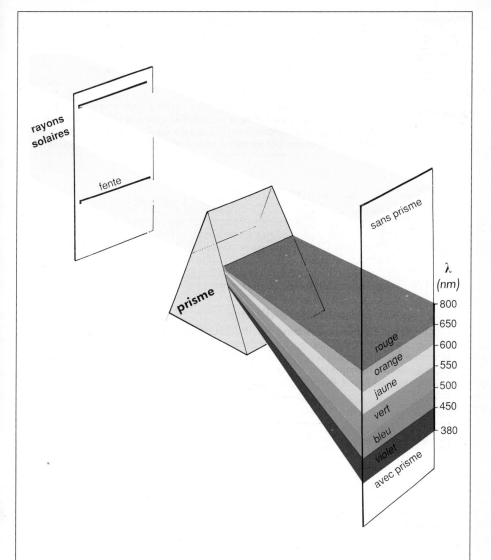

Expérience de décomposition de la lumière solaire

Couleur	Longueur d'onde
rouge	800-650 microns = 1/1 000 mm
orangé	640-590
jaune	580-550
vert	530-490
bleu	480-460
indigo	450-440
violet	430-390

TECHNIQUES
PEINTURE
DESSIN
PHOTO
ARTS GRAPHIQUES
CINÉMA-VIDÉO

La direction de la lumière

> *Non seulement un objet n'est visible que s'il est éclairé, mais l'éclairage peut adoucir un visage ou un lieu, créer une impression de réalisme ou au contraire susciter un effet dramatique.*

Ce sont quoi les différences ?

La lumière directe

Si la source lumineuse est directe, le sujet comporte des zones contrastées. On dit que l'éclairage est modelant : les plans et les surfaces de lumière jouent un rôle attractif instantané tandis que les ombres ont un caractère plus répulsif. Le regard est guidé par ces relations et passe du clair au sombre selon un itinéraire construit par le peintre, le photographe ou le cinéaste. Ainsi par temps clair le sujet représenté apparaît contrasté : les couleurs sont violentes (saturées) dans les zones éclairées, et inexistantes dans les zones d'ombre.

La lumière diffuse

Le ciel est voilé par une brume ou une couche nuageuse, le soleil est réfracté par les gouttelettes d'eau en suspension dans l'air : l'éclairage devient diffus. Il provoque une représentation plus plate de l'objet peint ou photographié : homogénéité, harmonie ou même uniformité des zones colorées. L'éclairage indirect estompe les reliefs et efface les ombres.

La lumière de face

La source lumineuse est face au sujet représenté, c'est-à-dire placée dans le dos du peintre ou derrière l'objectif de prise de vue. Si l'éclairage est surélevé par rapport au sujet, l'objet représenté prend du volume et des ombres apparaissent.

La lumière de trois quarts

La source lumineuse forme un angle avec la ligne imaginaire allant de l'appareil de prise de vue ou de l'œil du peintre au sujet représenté. La mise en valeur des volumes augmente pour atteindre un effet maximum si l'angle est de 45°.

Contre-jour

La source lumineuse est située derrière le personnage et forme un angle de 140° ou plus avec la ligne imaginaire. On parle dans ce cas de contre-jour. Les zones d'ombre sont considérables, les objets de premier plan sont détachés du fond, comme auréolés. Les surfaces éclairées par une lumière rasante révèlent leur texture (grain de la peau, aspérités d'un mur, relief d'un tissu).

Contre-jour total

La source lumineuse est située derrière le sujet. Le sujet est détaché du fond, auréolé comme dans le cas précédent d'un liseré encore plus net. Il ne comporte aucun détail perceptible (effet de silhouette).

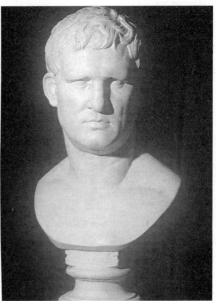

Lumière de face

Lumière de trois quarts

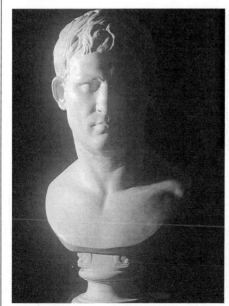

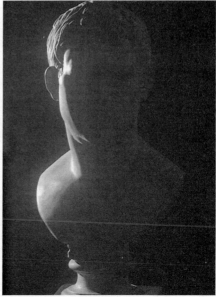

Éclairage de profil

Contre-jour total

TECHNIQUES
PEINTURE
DESSIN
PHOTO
ARTS GRAPHIQUES
CINÉMA-VIDÉO

L'éclairage

L'éclairage est caractérisé par son intensité, sa dominante colorée (ou qualité) et son angularité (angle formé par le rayon lumineux et le sujet représenté). Il peut résulter d'une ou plusieurs sources ; être naturel, artificiel ou composite.

Type d'éclairage	Utilisation en peinture		Utilisation au cinéma	
	Moyens	Exemple	Moyens	Exemple
Éclairage jour diffus (paysage de neige ou portrait en à-plat, sans ombres portées).	Uniformité des tons.	Peintures de Camille Pissaro (*Les Boulevards extérieurs*) ou de Maurice Utrillo (*Le Lapin agile et la rue Saint-Vincent*).	Écrans diffuseurs de lumière devant les sources artificielles.	Éclairage d'un plateau de télévision.
Éclairage jour modelant distinguant nettement les zones d'ombres et de lumière.	Lumière plongeante réfléchie par des tentures et des draperies.	Peintures de Vélasquez (*L'Infante Marguerite*).	Éclairage naturel ou artificiel en position haute.	Films expressionnistes de Carl Dreyer (*La Passion de Jeanne d'Arc*).
Éclairage arbitraire, fantastique (effet antisolaire).	La source lumineuse semble placée sous les personnages.	Peintures de Rembrandt (*Les Disciples d'Emmaüs*).	Projecteurs placés sous le visage des personnages ou sous une estrade où ils se tiennent.	Films expressionnistes des années 30. Éclairage de théâtre.
Éclairage soir (bougie, lampe, flamme d'un feu).	Une bougie ou une lampe en position centrale.	Peintures de La Tour (*Madeleine à la veilleuse, Adoration des bergers*).	Projecteurs en étoile. Groupes de bougies utilisées seules grâce à une pellicule très sensible.	*La Belle et la Bête* de Cocteau. Images H. Alekan. *Barry Lyndon* de Stanley Kubrick. *L'Enfant sauvage* de Truffaut. Images Almendros.
Éclairage nuit composite (étoiles, lampadaires).	Opposition entre tons froids foncés et tons chauds clairs (éclairage violent d'un lampadaire et clarté des étoiles).	Van Gogh (*Le Café, Le Soir*). Magritte (*L'Empire des lumières*).	Éclairage en studio, projecteurs filtrés par des gélatines différentes.	Noir et blanc : *Quai des Brumes* de M. Carné. Images E. Schuftan. Couleurs : *La Lune dans le caniveau* de J.-J. Beneix.

Georges DE LA TOUR, *L'Adoration des bergers*, musée du Louvre.

Dans ce tableau, la source lumineuse située en contre-plongée par rapport aux personnages donne immédiatement une impression d'irréalité, et crée même un effet fantastique. Seul l'enfant dans son berceau est éclairé selon un angle qui correspond à la lumière du jour.

L'éclairage soir (intérieur avec source lumineuse visible ou non sur l'image) laisse une partie du décor dans l'ombre et éclaire personnages et objets en les hiérarchisant selon la distance qui les sépare de la lumière. Il s'agit d'un éclairage modelant contrasté.

TECHNIQUES
PEINTURE
DESSIN
PHOTO
ARTS GRAPHIQUES
CINÉMA-VIDÉO

La peinture

La peinture est un art plastique qui a évolué au fur et à mesure des découvertes techniques. Elle a longtemps été un procédé de représentation réaliste du monde extérieur.

Les différents types de peintures

Matériel	Utilisée pour
L'aquarelle La surface à couvrir est humectée, tenue inclinée. On peint par un va-et-vient de gauche à droite et de bas en haut. **Le matériau :** peinture transparente délayée à l'eau, constituée par un pigment finement broyé, lié avec de la gomme. **Le support :** le papier lisse, à grains ou brut. **Les outils :** couleurs en tubes (pâteuses), en flacons (liquides). Les pinceaux : souples, pointes fines, effilés ou plats. Éponge, rouleau, brosse ; palette à alvéoles.	Permet les lavis, les dessins légers, les effets de contraste et l'effet moucheté, les aplats, la notation rapide des couleurs et des valeurs. Les thèmes : le paysage, les marines. Artiste représentatif : William Turner (1775-1851).
La gouache La pâte épaisse est travaillée comme la peinture à l'huile. La pâte diluée s'applique comme l'aquarelle. **Le matériau :** peinture à l'eau usant de couleurs opaques. **Les supports :** papier, bois, toile tendue et collée. **Les outils :** couleurs en tubes, en flacons, pinceaux, brosses souples ou en soie de porc (plus raides) ; palettes.	Permet d'expérimenter divers procédés : pleine pâte, lavage, grattage. Facilite le travail des fonds et les effets de matière, ainsi que les aplats de couleurs uniformes et opaques. Artiste représentatif : François Boucher (1703-1770).
La peinture à l'huile Les pratiques sont multiples : par petites touches, en pleine pâte, en peinture maigre ou en frottis. **Le matériau :** couleurs broyées et agglutinées avec de l'huile de lin. **Les supports :** toile tendue sur un châssis ou n'importe quel support préalablement recouvert d'un enduit (carton, contre-plaqué)... **Les outils :** pinceaux, brosses, couteaux ; palette.	Permet tout type de représentation et favorise l'aspect réaliste. Autorise des effets de luminosité. Artiste représentatif : Léonard de Vinci (1452-1519).

1. **La préparation de la toile**

Elle est tendue sur un cadre de bois et soigneusement préparée. Le peintre applique sur toute sa surface un enduit composé d'un mélange de colle, d'œuf et de chaux. Ceci facilite l'adhésion des couleurs et conserve la couche de peinture.

2. **Le dessin préparatoire**

Au crayon ou à la peinture diluée à la térébenthine, le peintre dessine les contours et les traits principaux de la composition ; puis il met en place les principales couleurs du tableau avec une peinture très diluée.
Les formes sont ébauchées.

3. **Le travail de la couleur**

Le peintre pose en même temps sur la toile les touches de couleurs semblables qui se retrouvent en d'autres endroits. Il applique les couleurs sombres et translucides avant les teintes claires opaques. Il peut poser la couleur de différentes façons :
— les empâtements : applications de peinture épaisse à la brosse ou au couteau. Ils produisent des effets de relief ;
— la peinture par petites touches : le peintre applique la couleur avec des pinceaux fins sur de petites surfaces.

4. **La protection du tableau**

Il faut attendre 9 à 12 mois pour que la peinture sèche complètement. On peut alors vernir la surface de la toile pour protéger le tableau de l'humidité et de la poussière et préserver l'éclat des couleurs. On applique le vernis avec une brosse plate en une couche mince en allant de haut en bas puis de droite à gauche.

TECHNIQUES
PEINTURE
DESSIN
PHOTO
ARTS GRAPHIQUES
CINÉMA-VIDÉO

Le portrait

> *Représentation « réaliste » d'un individu en buste ou en pied, immobile ou animé, sur fond neutre, dans un intérieur ou dans un paysage, le portrait peut aussi exposer au grand jour la psychologie du personnage. L'autoportrait est une peinture de l'artiste par lui-même.*

Les différents types de portraits

Le portrait classique	Recherche du réalisme, mettre l'accent sur le caractère du modèle, sur la description minutieuse d'un individu. Peintre représentatif : David (1748-1825), *Madame Récamier.*	**Caractéristiques :** dessins précis, les silhouettes ont un contour net, le portrait se profile sur un fond qui ne mobilise pas l'attention.
Le portrait romantique	Mettre l'accent sur une atmosphère générale en accord avec le naturel du personnage. Peintre représentatif : Delacroix (1798-1863).	**Caractéristiques :** montrer l'individu isolé sur fond neutre ou dans un paysage en accord avec son état d'âme (ciels orageux et tourmentés, fonds légers et aériens).
Le portrait expressionniste	Cherche à rendre visible la personnalité et les émotions du modèle, sa psychologie intime. Peintre représentatif : Egon Schiele (1890-1918), *Portrait de Karl Zakovsek.*	**Caractéristiques :** simplification de la forme, utilisation des contrastes de couleur pure, privilégier la représentation du sujet. Suggérer la psychologie du sujet au moyen du visage et des mains.
L'autoportrait	Portrait de l'artiste par lui-même, autobiographique (se représenter dans sa qualité de peintre) ou reflet fidèle de ses états d'âme. Peintre représentatif : Vincent Van Gogh (1853-1890), *Autoportrait à l'oreille coupée.*	**Caractéristiques :** représenté de face ou de demi-profil, le regard est dirigé vers le spectateur.

Renforce la forme

Le personnage est cadré à mi-corps. Il est situé au 1er plan, présenté au milieu d'objets qu'il apprécie.

empâtement → on voit les coups de pinceau +

Les couleurs veulent vibrer

Le personnage est cadré à mi-corps. Il est situé au 1er plan, présenté au milieu d'objets qu'il apprécie.

Vincent VAN GOGH, *Le Portrait du père Tanguy*, 1887.

2D

fond terne

La touche met en valeur la rudesse du personnage.

Le décor est constitué d'estampes japonaises.

37

TECHNIQUES

PEINTURE

DESSIN

PHOTO

ARTS GRAPHIQUES

CINÉMA-VIDÉO

Le paysage

Le paysage est une interprétation de l'espace qui suppose un certain nombre de choix : regroupements significatifs d'éléments (arbres, monuments, mer, montagne), orientation de l'angle de vue, reproduction d'effets atmosphériques.

La technique

Plans et perspectives : trois moyens permettent, en suggérant le relief, de créer une impression de réalité. Ce sont l'étagement des plans, l'utilisation de couleurs allant du plus foncé au plus clair et l'application des lois de la perspective.
La touche de peinture : si elle est très fine, elle renforce l'illusion du réel. Des touches séparées, suggèrent la qualité de la lumière plus que l'objet lui-même.
La séparation des motifs assure la lisibilité de l'image et contribue à l'harmonie générale. La distinction peut être assurée par la juxtaposition de motifs clairs et de motifs foncés ou par l'opposition de couleurs entre motifs voisins.

Les différents types de paysages

Paysage classique	Recherche de l'harmonie et de l'équilibre. Inspiration antique. Peintre représentatif : Claude Gelée, dit Le Lorrain (1600-1682). Exemple : *Vue d'un port avec le Capitole* (1637, musée du Louvre).	**Caractéristiques :** étagement des plans. Paysages construits selon les lois de la perspective et donnant l'illusion du réel malgré le caractère imaginaire des compositions (exemple : monuments antiques encadrant des personnages en costume du XVIIe siècle).
Paysage impressionniste	Peinture effectuée en plein air. Tentative de traduction de la lumière considérée comme plus importante que le sujet. Peintre représentatif : Claude Monet (1840-1926). Exemple : *Impression, soleil levant* (1872, musée de Marmottan, Paris).	**Caractéristiques :** refus de tous intermédiaires (brun, gris, noir) dont la nature n'offre pas d'exemple. Utilisation de couleurs pures. Juxtaposition de ces couleurs par touches fragmentées selon la loi des complémentaires. Changement fréquent de l'angle de vision.
Paysage expressionniste	Défi aux règles esthétiques. Expression souvent douloureuse de l'individu non réaliste. Peintres représentatifs : Van Gogh, Münch.	**Caractéristiques :** utilisation de couleurs. Dessin tourmenté. Violence et épaisseur de la touche de peinture.
Paysage cubiste	Construction très organisée.	**Caractéristiques :** décomposition de l'espace en formes géométriques.

Composition forte malgré une prédominance accordée à la lumière (astre solaire placé sur la ligne verticale, passant par le nombre d'or).

Couleurs : relation de couleurs froides de tonalités différentes et de couleurs chaudes. Les nuances froides, bleutées dominent (brumes de l'aube).

Claude MONET, *Impression, soleil levant.* 1872, musée Marmottan, Paris.

Utilisation de la touche de peinture : touches fragmentées de couleurs pures donnant par leur juxtaposition une impression de miroitement et un effet de mélange optique.

Thème : importance accordée à l'eau et à la lumière.

Présentée par Monet à la première exposition qu'il organisa chez Nadar, cette toile inspira au journaliste Leroy l'adjectif d'impressionniste. Ce terme qui se voulait ironique devint le nom d'un grand mouvement de la peinture.

TECHNIQUES
PEINTURE
DESSIN
PHOTO
ARTS GRAPHIQUES
CINÉMA-VIDÉO

La scène de genre

> *Depuis le dix-huitième siècle, on désigne sous l'appellation peinture de genre les tableaux qui représentent les travaux, les occupations et les distractions de l'homme.*

Les caractéristiques

Absence de héros : le peintre prend pour modèle des personnages vivants, mais le but de sa peinture n'est pas de représenter des moments de leur histoire personnelle dont ils seraient les héros. Ils sont simplement des types, des figurants interchangeables pris dans une activité courante.

Représentation de la vie quotidienne : les actions peintes n'ont aucun caractère exceptionnel. C'est la vie de tous les jours, des incidents insignifiants.

L'évolution

Jusqu'au XVIe siècle	Dans une première époque la peinture de genre représente des scènes de l'histoire religieuse. Puis elle laisse la place aux scènes de la vie rustique, aux fêtes.	Bruegel, 1564, *Le Portement de croix.* Bruegel, 1568, *Danse des paysans* et *Repas de noces.*
XVIIe siècle	Le genre prend son autonomie et va vers un réalisme dur. Les thèmes : la diseuse de bonne aventure, les parties de cartes, la musique, les fêtes paysannes, la joyeuse compagnie, les scènes d'intimité.	Caravage, 1594, *La Diseuse de bonne aventure.* Caravage, 1601, *La Vocation de saint Mathieu.* J. Steen, 1670, *Joyeuse Compagnie.* Vermeer, 1660, *La Laitière* ; 1667, *La Lettre.*
XVIIIe siècle	Vision bourgeoise du monde en intérieurs clos. Fêtes à l'air libre, scènes légères de la comédie amoureuse. Peinture moralisatrice.	Chardin, 1738, *L'Enfant au toton.* Watteau, 1717, *L'Embarquement pour Cythère.* Greuze, 1765, *Le Fils puni.*
XIXe siècle	Mutation importante dans la peinture de genre. C'est le genre qui triomphe. La représentation du présent dans la vie sociale, les travaux des ouvriers, les mœurs, les spectacles contemporains.	Millet, 1850, *L'Angelus.* Courbet, 1849, *Les Casseurs de pierres.* Manet, 1863, *Déjeuner sur l'herbe*, et *L'Olympia.*
XXe siècle	Peinture des mœurs, de la vie nocturne (de Montparnasse).	Toulouse-Lautrec, Picasso.

CHARDIN, *La Pourvoyeuse*, 1739, musée du Louvre.

Chardin peint une scène d'intérieur, un univers clos. L'extérieur n'apparaît que par le petit triangle de ciel bleu au-dessus de la porte, au troisième plan.
L'absence de héros est marquée par la qualité du personnage principal. Il s'agit d'une servante qui approvisionne la maisonnée.
La vie quotidienne est le sujet même du tableau. On représente une action qui se répète régulièrement.
Ce tableau est un témoignage sur une époque. Le décor qui nous est présenté nous invite à voir la manière dont vivaient les gens de ce milieu. Les objets témoignent de la richesse de la maisonnée.
Le thème peint renvoie à la condition même de l'homme qui gagne son pain à la sueur de son front.

Il y a 2 pts de fuite   Bifocalité croisée

On revient toujours au sujet principal

41

TECHNIQUES

PEINTURE

DESSIN

PHOTO

ARTS GRAPHIQUES

CINÉMA-VIDÉO

La nature morte

La nature morte se caractérise par l'exclusion de tout être vivant de la surface de la toile. Ne figurent que des choses immobiles dont l'agencement a été organisé par l'artiste.

Un genre codifié

La nature morte exclut l'être vivant, le sujet pensant : elle ne peut représenter ni le mouvement ni le sentiment. Elle élimine toute référence au temps des actions humaines.

La nature morte renvoie à un langage codé : elle présente des objets, des éléments dont on ignore le passé et qui n'ont pas d'avenir. Ils semblent suspendus dans le temps, figés pour l'éternité.

Les cinq sens : les objets ou les éléments qui les évoquent renvoient aux principales préoccupations de l'homme. Ainsi un verre à demi plein ou renversé signalera, outre l'évocation du goût, la précarité de l'existence.

Le temps : les montres et horloges mais aussi le sang plus ou moins caillé sur un gibier traduisent la fuite du temps, le caractère fini de l'existence humaine.

Les symboles religieux ou bibliques : la pomme est un rappel de la faute d'Adam, la poire évoque la venue du Sauveur ; la vigne, la résurrection, la rose rouge, le martyre, la rose blanche, la pureté. Un bouquet qui comporterait chacun de ces fruits et ces fleurs évoquerait une scène religieuse.

Des thèmes imposés

L'animal mort : les dépouilles de gibier et de poisson sont les motifs principaux. L'immobilité animale est le résultat d'une action. Le décor dans lequel figurent les animaux rappelle la présence de l'homme.

Les fleurs et les fruits : les fleurs et les fruits représentés, souvent d'après des croquis d'étude, ne sont pas des compositions florales copiées. Souvent figurent ensemble des fleurs ou des fruits dont la maturité n'est pas simultanée.

Les objets fabriqués : ils donnent une image indirecte de l'homme, constructeur ou utilisateur. Ces objets évoquent les moments qui rythment l'existence quotidienne. Ils renvoient aux cinq sens : un miroir pour la vue, un violon pour l'ouïe...

Les vanités : ces peintures évoquent la vanité, le caractère éphémère de la vie. La mort de l'homme y est généralement présentée sous la forme d'un crâne. Il est associé à différents objets évoquant l'existence humaine :
— instruments ou objets qui symbolisent l'existence de l'homme, pipe, cartes, violes...
— objets faisant allusion au caractère éphémère de l'existence, bulles, bougies, lampes...
— symboles de résurrection (parfois), épis de blé, branche de laurier...

Le crâne : renversé sur le côté droit, il donne l'impression d'un homme auquel on a tordu le cou. L'angle de vision donne l'impression qu'il va tomber.

La chandelle éteinte et le sablier : le temps s'est arrêté dans la mort.

S. Renard de Saint-André, *Vanité*, Marseille, musée des Beaux-Arts.

Les feuilles de laurier, les coquillages : symboles de résurrection, ils laissent espérer un avenir plus radieux.

La viole et l'archet : silencieux et immobiles, c'est l'arrêt des plaisirs de l'ouïe. C'est la fin de la création.

Cette nature morte a pour thème essentiel la vanité d'une existence qui s'attache aux biens et aux plaisirs de ce monde, alors que le temps la détruit inexorablement.

L'impression de déséquilibre dans lequel se trouvent placés le crâne, la viole, le livret de musique et l'archet vient renforcer l'idée de précarité de la condition de l'homme.

TECHNIQUES

PEINTURE

DESSIN

PHOTO

ARTS GRAPHIQUES

CINÉMA-VIDÉO

Le trompe-l'œil

> *Le trompe-l'œil est une manière de peindre qui cherche à donner l'impression de la réalité. Il s'applique notamment à faire oublier l'existence des murs et des plafonds.*

Les règles du trompe-l'œil

Abaisser la perspective

Le spectateur est placé sous l'image (lorsqu'il s'agit d'un mur). Il a l'impression en regardant vers le haut que, par une illusion d'optique, l'horizon dessiné sur l'image est trop loin. Le peintre corrige cette illusion en abaissant la ligne d'horizon dans son dessin.

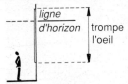

Le spectateur lève la tête, il a l'impression que la ligne d'horizon du dessin est mal placée.

Pour corriger cette illusion le peintre doit abaisser la ligne d'horizon.

Le spectateur placé au bas du mur ne ressent plus la déformation de l'image.

L'emploi de la perspective verticale dans le mur peint

Le spectateur est placé à la perpendiculaire d'un plafond vers lequel il tient les yeux levés. Il a l'impression, si les objets et personnages sont peints parallèlement à la surface du plafond, que la scène est trop plate et manque de réalisme. Le peintre peut y remédier en représentant les choses et les personnes en raccourci : les lignes de fuite (c'est-à-dire les lignes imaginaires passant par les sujets d'une image et se rejoignant en un point) sont très courtes et convergent rapidement. Le peintre donne ainsi l'illusion de la profondeur.

Les artifices de la mise en scène

Les sorties du cadre : l'illusion de la vie est donnée en faisant empiéter la main ou le pied d'un personnage sur un cadre simulé.

L'imitation : le peintre utilise des procédés qui permettent de donner à la peinture le même aspect et la même consistance que l'objet réel. Ainsi, il peut représenter une gravure encadrée sous un verre dont une fêlure atteste l'existence.

La place du spectateur

Si la peinture murale est conçue à partir d'un point de vision précis, il faut que le spectateur se place à cet endroit sous peine de voir l'image déformée.

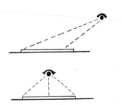

À un point de vue central : il faut se placer au centre et ne pas se déplacer. En effet, si le spectateur change d'endroit, la peinture, qui a été conçue pour être vue d'un endroit précis, lui paraîtra déformée.

À un point de vue oblique : il faut regarder obliquement le trompe-l'œil dont la représentation a été conçue à partir de ce point de vue. Si le spectateur se déplace au centre, il verra l'image déformée.

Fabio RIETI, *Le Piéton des Halles*, 1979,
mur de la centrale de climatisation du Forum des Halles.

Le mur est une source de contraintes pour le créateur qui a dû utiliser différents procédés pour donner à sa peinture l'illusion de personnages vus en plongée.

Il a travaillé sur une maquette pour mettre en place les éléments du mur peint et déterminer les corrections optiques nécessaires pour obtenir l'effet recherché. Il s'est adapté à la taille du mur, les personnages qui semblent avoir une apparence normale mesurent en fait 2,80 mètres de haut.

Il a utilisé un artifice de mise en scène : l'ombre qui, de par son angle, donne l'illusion d'un homme debout.

TECHNIQUES

PEINTURE

DESSIN

PHOTO

ARTS GRAPHIQUES

CINÉMA-VIDÉO

La peinture non figurative

La peinture non figurative n'a pas vocation de figurer les éléments du monde extérieur, mais de créer des objets. Le graphisme et les couleurs sont utilisés pour leur valeur plastique et non pas pour évoquer l'apparence extérieure des choses.

Le suprématisme

Il utilise l'abstraction géométrique et privilégie le carré, le rectangle, le cercle. Il cherche à élever la peinture à une expression parfaite en analysant précisément le rapport entre la forme représentée et l'espace qui l'entoure.
Peintre représentatif : Kasimir Malevitch (1878-1935), *Carré blanc sur fond blanc* (1918).

Le néo-plasticisme

Il cherche la pureté plastique dans l'abstraction géométrique. À cette fin, il élimine la ligne courbe et l'illusion de la profondeur. Il combine la forme, le fond et la couleur pour donner naissance à un effet de rythme soutenu par les différences entre les couleurs.
Peintre représentatif : Piet Mondrian (1872-1944), *Composition avec lignes jaunes* (1933).

Le cinétisme

Il cherche à suggérer des effets optiques (impression de mouvement par exemple) à partir de compositions géométriques jouant de l'opposition de couleurs. Il utilise les effets optiques que peuvent créer chez un spectateur les surfaces rayées, ponctuées ou disposées en damiers. Il accentue ces effets de mouvement par l'emploi de contrastes de couleurs chaudes et froides.
Peintre représentatif : Vasarely (1908), *Izzo 22* (1969).

L'abstraction informelle

Elle fait confiance au hasard plus qu'à la volonté de construction. Elle ne semble marquée d'aucun souci des rapports mutuels entre les traits et les taches. Elle combine des couleurs élémentaires (bleu, jaune, vert, noir...) et des formes rudimentaires analogues aux dessins d'enfants.
Peintres représentatifs : Miro (1893-1983), *Intérieurs hollandais* (1928). Paul Klee (1879-1940), *Départ des bateaux* (1927).

Le tachisme et la peinture d'action

Ils cherchent avant tout l'expression immédiate et totale de ce que l'artiste porte de plus profond en lui. Les artistes répondant à la simple intuition ou à l'instinct couvrent les tableaux de taches de couleurs ou de lignes. Ils utilisent différents procédés :
— la projection de couleurs sur le tableau posé à même le sol. ;
— l'emploi de couleurs industrielles coulant directement de la boîte sur la toile.
Le tableau se compose ainsi de traînées de couleurs, superposées en tous sens, obtenues en se déplaçant autour de la toile, la boîte de couleur à la main.
Peintre représentatif : Jackson Pollock (1912-1956), *One* (1950).

Kasimir MALEVITCH

2D
2D PAS DE PROFONDEUR 2D

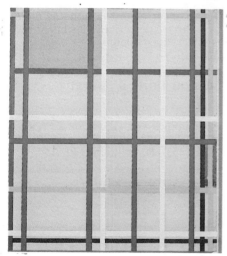

Piet MONDRIAN,
New York, New York City, 1940.

MIRO,
*Le Bel Oiseau révèle l'inconnu
à un couple d'amoureux*, 1941.

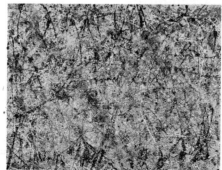

Jackson POLLOCK,
*Lavender miot :
number one*,
1950.

TECHNIQUES
PEINTURE
DESSIN
PHOTO
ARTS GRAPHIQUES
CINÉMA-VIDÉO

L'illustration

L'illustration est un des plus anciens procédés de communication par l'image, qui a évolué au fur et à mesure de nouveaux apports techniques. Cet ensemble de techniques offre de multiples possibilités d'expression.

La plume et l'encre

Un dessin préalable au crayon tendre est repassé à l'encre.
Support : le papier.
Outils : porte-plume, stylo à plume, papier assez fort (plus de 160 g/m²).
Artistes représentatifs : Hogarth (1697-1764), G. Doré (1832-1883).

Le crayon

Matériau : graphite depuis le XVIIe siècle, l'ancêtre était la mine de plomb.
L'aspect des traits varie en fonction de la dureté de la mine ; les hachures, les lignes épaisses ou fines traduisent les différentes valeurs.
Artiste représentatif : Caran d'Ache (1859-1909).

La gravure sur bois ou taille d'épargne

Support : planche de bois.
Outils : gouge, canif.
Le dessin est fait directement sur le bois, l'entourage est creusé, on encre ensuite avec un rouleau, puis on imprime avec une presse.
Artistes représentatifs : L. Cranach (1472-1553), H. Holbein (1497-1543).

La taille-douce ou gravure sur cuivre

Dessin au burin et à la pointe sèche.
Support : plaque de métal.
Outils : burin ou pointe quelconque.
On creuse le dessin fait sur la planche ou la plaque de métal. On encre chaque sillon gravé, chaque trait du dessin.
Artistes représentatifs : A. Dürer (1471-1528), M.-A. Raimondi (1480-1534).

L'eau-forte

Support : plaque de métal.
Outils : pointe, acide dilué.
La plaque est recouverte de vernis. On dessine sur ce vernis avec une pointe, on plonge la plaque dans un bain d'acide dilué qui attaque et creuse les parties dessinées. La plaque est ensuite encrée.
Artistes représentatifs : Rembrandt (1609-1669), H. Daumier (1808-1879).

La lithographie

Support : pierre de calcaire finement grainée.
Outils : crayon gras ou encre grasse.
On dessine sur la pierre avec une encre grasse. On humidifie ensuite la pierre avec un acide qui attaque les parties non encrées.
Artiste représentatif : Toulouse-Lautrec (1864-1901).

Gravure sur bois

L'épaisseur des traits est supérieure aux autres techniques. Les aplats sont larges, réguliers de teinte, sans trace d'un travail de l'outil qui ne peut se voir puisqu'il travaille les vides (donc ce qui n'a pas été imprimé).

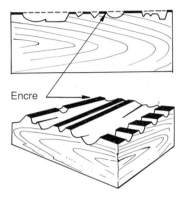

E.-L. Kirchner, *Couple.*

Gravure en taille douce

Largeur constante dans le trait, impression de spontanéité, de «naturel» dans le dessin souvent liée à la légèreté de touche et à la rapidité d'exécution. La morsure inégale de l'acide donne par ailleurs aux lignes une arête adoucie qui contribue à prêter une grande vibration à l'image.

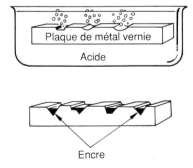

Goya, *Mucho hay que chupar* (1799).

TECHNIQUES
PEINTURE
DESSIN
PHOTO
ARTS GRAPHIQUES
CINÉMA-VIDÉO

La caricature

Destinée à provoquer le sourire ou le rire, la caricature peut être féroce. L'exagération du trait rend ce dernier révélateur du caractère de celui qui est dessiné.

La caricature par amplification

Le dessinateur copie fidèlement tout ce qui dans le visage ou la silhouette est normal. En revanche il accentue fortement tout ce qui sort de l'ordinaire. Il allonge ce qui est déjà trop long, réduit ce qui est trop mince, épanouit ce qui est trop large.

La caricature par amplification est surtout employée dans le dessin d'actualité. Il faut que le lecteur reconnaisse aisément les personnages mis en scène.

Jean-Paul SARTRE.

La caricature par simplification

Le dessinateur ne retient de la silhouette ou du portrait du personnage que les traits distinctifs. Ce peut être la moustache, un chapeau melon et une canne pour évoquer Charlot. Le dessinateur écarte tous les détails inutiles, tous ceux qui ne sont pas caractéristiques du modèle.

La caricature par simplification est employée lorsque le personnage est très connu, que tous les lecteurs peuvent l'identifier à partir de quelques détails. Elle accompagne souvent un article qui parle de la personne caricaturée.

Edmond ROSTAND.

perspective tordue

Il est représenté de profil, et sa moustache est de face

La caricature zoomorphique

Le caricaturiste utilise les défauts ou les qualités attribués aux animaux pour rendre compte du caractère ou du comportement de ses modèles. Le lion est, un roi, le singe est malin, l'âne têtu.

Le caricaturiste déforme le visage de ses personnages en outrant certains traits pour accroître la ressemblance avec l'animal.

La caricature zoomorphique est utilisée lorsque l'on souhaite donner une information ou porter un jugement sur un personnage.

Un Banquier.

GRANDVILLE, *Un banquier.*

TECHNIQUES

PEINTURE

DESSIN

PHOTO

ARTS GRAPHIQUES

CINÉMA-VIDÉO

Le dessin d'actualité

Le dessin d'actualité présente avec un minimum de mots et de traits une situation que l'on développe dans un article. Il provoque le sourire du lecteur, même lorsque le sujet est tragique.

Rôle du dessin d'actualité

Accrocher : le dessin d'actualité, dans la page d'un quotidien, souvent à la une, a pour rôle essentiel d'accrocher l'attention du lecteur. Il vient rompre l'harmonie de la surface de la page.

Aérer : le dessin d'actualité par le fond blanc sur lequel l'image est dessinée laisse une impression de mise en relief. L'unité grise de texte est rompue. La lecture est facilitée.

Répéter : le dessin d'actualité redit d'une autre manière une information qui est développée dans le corps d'un article ou dans un commentaire.

Techniques

Le dessin au trait : sans modelé ou presque, c'est le plus couramment utilisé pour le dessin d'actualité. L'encrage du dessin au trait pur s'exécute à la plume ou au pinceau à partir d'un dessin au crayon.

Le dessin modelé au trait : lorsque le dessinateur veut donner une plus ou moins forte impression de relief à son dessin, il recourt au modelé. Un jeu de traits parallèles ou croisés, ou de semi-pointillés vient modeler le dessin pour donner du relief ou mettre en valeur un personnage.

Procédés

Pour provoquer le sourire du lecteur, le dessinateur dispose de procédés reconnus.

La caricature : la déformation outrée de certains traits d'un personnage connu permet son identification immédiate. Par ailleurs elle informe également sur le trait de caractère que l'on veut mettre en évidence. (Voir page 50.)

Le paradoxe : ce procédé consiste à présenter une situation qui va à l'encontre de la manière de penser habituelle. C'est une façon de faire réagir en heurtant la raison ou la logique. Par exemple, devant un personnage qui se noie, un agent d'assurance propose un stylo pour signer un contrat d'assurance vie.

La provocation : c'est le choix d'un sujet ou d'un thème que l'on hésite à présenter habituellement. Par exemple le sexe, le sacré, la mort... afin d'inciter le lecteur à une réaction violente.

La répétition : le comique naît de la répétition d'une même situation qui se modifie peu à peu. Cette répétition peut apparaître sur le même dessin ou se poursuivre sur différents numéros d'un journal.

L'ironie : ce procédé consiste à donner pour vraie une interprétation manifestement fausse d'une situation. Le lecteur doit se rendre compte de cette contre-vérité (par l'exagération dans le dessin). Il comprend alors que celui qui partage le point de vue évoqué par le dessin manifeste de la mauvaise foi ou de la bêtise.

Les militaires sont représentés selon la technique du dessin modelé au trait. Cela accentue l'impression de puissance.

Ce dessin d'actualité anime la double page du journal. La manifestation débute sur la page de gauche et se poursuit sur celle de droite. Cela crée une dynamique qui favorise la lecture.

Le blanc qui encadre le dessin aère une double page très dense et facilite l'entrée dans le texte.

Ce dessin repose sur le procédé du paradoxe. Ce sont les militaires, puissamment armés et imposants, qui sont effrayés par les manifestants.

TECHNIQUES

PEINTURE

DESSIN

PHOTO

ARTS GRAPHIQUES

CINÉMA-VIDÉO

La B.D. :
le récit dessiné

Une bande dessinée raconte une action dont le déroulement s'effectue par bonds successifs d'une image à l'autre sans que s'interrompe la continuité du récit.

 ## L'histoire à raconter

La mise au point de l'histoire : c'est le scénariste qui l'écrit. Le scénario tient en quelques pages. Il présente l'intrigue, l'histoire du personnage principal.

Le découpage de l'histoire : c'est le scénariste qui l'établit. Il donne vignette par vignette et page par page toutes les indications qui vont aider le dessinateur à construire la B.D.

Les textes des bulles : ils sont donnés par le scénariste. Le dessinateur doit, selon le nombre de lettres, évaluer la place nécessaire dans le dessin.

 ## La vignette

C'est le cadre dans lequel sont représentés les temps forts de l'action. À l'origine les cadres étaient tous de même taille. Aujourd'hui, le récit joue sur les variations de leur format.

Le récit est lent.   Le récit s'accélère.

Entre chaque vignette : une ellipse ; la B.D. ne représente que des instants de l'histoire. L'art du dessinateur consiste à faire en sorte que le lecteur comprenne ce qui se passe entre deux vignettes. À cette fin il utilise : les bulles, les encarts (dix jours plus tard...), les indices chronologiques (le soleil se lève dans une vignette, se couche dans la suivante).

 ## La page ou planche

Elle constitue l'unité narrative de base. Cette page s'organise généralement en 3 séquences : la séquence de fermeture qui est la conclusion de l'action développée à la page précédente ; la séquence de transition ; la séquence d'ouverture qui engage une nouvelle phase de l'action qui sera développée à la page suivante.

Organisation de la mise en page : les images dans la planche forment une suite logique aux yeux du lecteur. Il y a de nombreuses possibilités de mise en page.

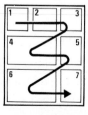

La disposition en bandes permet une lecture régulière de gauche à droite et de haut en bas.

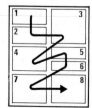

La variation de la taille des vignettes modifie la lecture qui ne se fait plus d'une ligne à l'autre mais d'une image à l'autre.

Hugo PRATT, *Les Éthiopiques*, 1978, Éd. Casterman.

La composition d'une planche

C'est la succession des vignettes qui donne au récit son caractère dramatique. La planche se divise ici en deux parties égales. Dans les quatre premières vignettes, le héros est aux prises avec un adversaire qu'il met hors de combat. L'action est conduite logiquement d'une vignette à l'autre. Il y a par exemple une continuité entre les vignettes 2 et 3 (le début de la prise et son résultat). Dans les quatre dernières vignettes, par contre, l'action est plus morcelée. Dans l'image n° 5, c'est l'étagement des personnages sur trois plans qui annonce la suite des événements. Puis, dans les vignettes 6 et 7, interviennent simultanément le tireur et la cible.

TECHNIQUES
PEINTURE
DESSIN
PHOTO
ARTS GRAPHIQUES
CINÉMA-VIDÉO

La B.D. :
le style des dessins

Suivant l'histoire à raconter, mais le plus souvent en fonction de son propre style, le dessinateur peut choisir de dessiner d'une façon ou d'une autre.

Le dessin au trait pur

C'est un dessin pur, sans modelé ni aplats noirs importants. Le trait dessine la silhouette des personnages, l'aspect extérieur. On le rencontre surtout dans la B.D. comique. Pas d'atmosphère, peu de détails pittoresques. Le dessin est volontairement simplifié. Ce qui compte c'est la « chute », le gag.

Dessinateurs représentatifs : Schulz, *Peanuts*; Reiser, *Vive les femmes*; Brétécher, *Les Frustrés*; Quino, *Mafalda*; Pétillon, *Le Baron noir*.

Le dessin au trait avec aplats

Le dessin au trait reste dominant mais on lui ajoute des aplats noirs importants, sans teinte intermédiaire. On joue sur des compositions de noirs et de blancs pour mettre le sujet en valeur. L'aplat dramatise l'image.

Dessinateurs représentatifs : Comès, *Silence*; H. Pratt, *Sous le signe du Capricorne*.

Le dessin réaliste

Le dessin au trait existe encore dans certaines parties de l'image, mais il se fond dans des aplats noirs nombreux et traités par petites touches.
On cherche à donner du relief à l'image en mettant en valeur les zones d'ombre et de lumière.
Cette technique convient pour des sujets policiers, le roman noir, le fantastique.

Dessinateurs représentatifs : Gir, *Lieutenant Blueberry*; Gillon, *Les Naufragés du temps*; Prentice, *Rip Kirby*.

Le dessin tramé

Les aplats noirs disparaissent au profit d'une large gamme de demi-teintes. Elles sont réalisées par des traits parallèles ou croisés plus ou moins rapprochés. C'est une technique adaptée aux sujets réalistes pour créer une atmosphère plus ou moins irréelle, impressionniste.
On peut utiliser une trame pointillée lorsque la reproduction sera uniquement en noir et blanc. C'est le cas des bandes des quotidiens.

Dessinateurs représentatifs : Bilal, *Exterminateur 17*; Moebius, *Le Garage hermétique*; A. Raymond, *Flash Gordon*.

Cadix, Anno Domini 1588

Étape 1 : le scénario

Le scénario peut se présenter sous deux formes : scénario écrit, ou scénario dessiné lorsque l'auteur sait également dessiner. C'était le cas de Hergé.

Étape 2 : les dessins préparatoires

Sur une feuille à dessin de format 53 × 34, le dessinateur trace les cadres après avoir réalisé des croquis préparatoires sur des feuilles volantes. Il trace les portées dans lesquelles s'inscriront les textes, puis réalise les dessins au crayon.

Étape 3 : l'encrage

Le dessinateur, ou l'encreur, utilise de l'encre de chine pour mettre au net les dessins. Il emploie un rapidographe, une plume ou un pinceau. L'encrage a pour but de finir le dessin et de faire ressortir les couleurs par la suite.

Étape 4 : la mise en couleurs

La réalisation d'une bande dessinée est un long travail d'équipe. De nombreux intervenants peuvent concourir à sa réalisation. On ne connaît généralement que les noms du scénariste et du dessinateur.

TECHNIQUES
PEINTURE
DESSIN
PHOTO
ARTS GRAPHIQUES
CINÉMA-VIDÉO

La B.D. : les procédés graphiques

La bande dessinée a élaboré un certain nombre de procédés qui donnent vie à ses images. Elle parvient ainsi à traduire le mouvement, les bruits et les sentiments.

L'effet Marey, les sillages et les hachures

L'effet Marey : Jules Marey fut le premier à photographier les phases successives d'un mouvement. L'effet Marey sert à montrer une transformation ou un mouvement très rapide. Certaines parties du corps sont démultipliées.

Les sillages ou les hachures servent à représenter les mouvement dans l'espace. On comprend alors que l'objet ou le personnage ne sont pas immobiles.

Le flou est efficace pour représenter une très grande vitesse.

Les pictogrammes

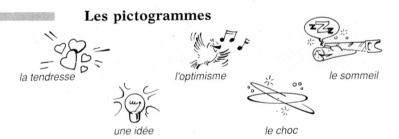

la tendresse   l'optimisme   le sommeil

une idée   le choc

La couleur

Traduire la réalité. Le coloriste reproduit par zones (les aplats) les couleurs choisies pour accentuer la vraisemblance du dessin (les visages sont roses, le ciel est bleu, etc.). Il peut ainsi ponctuer les planches en suivant le rythme du temps : à une planche sombre (la nuit) succède une planche claire (le jour).

Traduire l'atmosphère ou les sentiments. Le coloriste utilise les couleurs chaudes ou froides qui vont symboliser une attitude ou une ambiance. Il peut ainsi figurer la passivité, l'inquiétude par des couleurs froides. L'activité, l'agressivité seront par contre représentées par des couleurs chaudes. Exemples : rouge = colère ; vert = mensonge ; rose = affection.

Traduire l'action. Le coloriste peut jouer des oppositions de tons chauds et froids. Ainsi, les scènes d'action sont en couleurs chaudes alors que les scènes de transition sont colorées dans des tons froids.

Dessous
son
coude:
ombre
portée

HERGÉ. *Le Crabe aux pinces d'or*, 1943, Éd. Casterman.

fond
ouvert

paquebot
en
noir-›
élément
de
l'équilibre.

HERGÉ, *Le Trésor de Rackham le Rouge*, 1944, Éd. Casterman.

Le mouvement dans l'image

Dans l'illustration 1, le mouvement est créé par l'organisation du champ de l'image : une succession de mouvements est décomposée et répartie entre plusieurs personnages de gauche à droite de la vignette.

Dans l'illustration 2, le mouvement est créé par la composition de l'image en profondeur : l'action est suggérée par la position respective des personnages de l'arrière-plan au premier plan. Ainsi, dans cette vignette, le lecteur peut reconstruire les différentes étapes de l'arrivée sur l'île à partir des indices figurant dans chaque plan.

D'après une analyse de J.-B. RENARD, *Clefs pour la bande dessinée*, Éd. Seghers.

TECHNIQUES
PEINTURE
DESSIN
PHOTO
ARTS GRAPHIQUES
CINÉMA-VIDÉO

La B.D. : les personnages

> *Le héros de B.D. est celui dont on nous raconte les aventures, celui qui est constamment sous nos yeux. Généralement célibataire, le héros vit en dehors de la société.*

Le super-héros

A l'origine ce sont des héros américains, nés dans les années trente.

Héros déshumanisés : ils sont doués de pouvoirs extraordinaires. Mandrake s'aide de la magie pour triompher des forces du mal.

Héros dotés de super-pouvoirs : ils leur sont conférés par leur origine extra-terrestre. Le Fantôme (1936) et Superman (1938) viennent d'ailleurs. Ils sont doués d'une super-force, d'une super-vue...

Héros sans peur et sans reproches : ils se lancent à l'assaut des forces du mal, vêtus de collants, gantés, masqués et bottés.

Le héros d'aventure

Un homme, plus rarement une femme. Il n'a comme pouvoirs que son courage et son goût de la lutte. Rien ne lui est épargné. Il est souvent emprisonné, mais son intelligence subtile et sa maîtrise de soi lui permettent de vaincre. Il ne tue qu'en cas d'absolue nécessité. C'est par exemple Tarzan, Alix...

Au service de la justice, il agit dans un but noble. Il représente ou se place au côté des opprimés contre la tyrannie. Il est le libérateur, le justicier. C'est le cas de Dick Tracy, de Lucky Luke...

Il vit des aventures exotiques. Le héros d'aventures évolue dans de grands espaces, dans des forêts, sur les mers. Il échappe souvent aux villes et procure dépaysement et évasion. Comme Tintin, il parcourt la planète.

Le héros inadapté

Un anti-héros dont les défauts du physique et du comportement ne permettent pas qu'on le prenne pour modèle. Il est souvent naïf, faible et maladroit.

Souvent brimé par son entourage, il se réfugie dans la rêverie poétique et l'invention, comme Gaston Lagaffe. D'autres, c'est le cas des Pieds Nickelés, traduisent la revanche des brimés sur la bêtise.

Des mésaventures comiques lui arrivent, qui sont le résultat de gestes catastrophiques, de situations absurdes, d'inventions surprenantes. On rit généralement du renversement final, de la déconfiture des censeurs.

Le personnage faire-valoir

Pour que le lecteur sache ce que pense le héros, il faut que ce dernier s'adresse à quelqu'un. C'est ce quelqu'un que l'on appelle faire-valoir. Le personnage faire-valoir est souvent à l'opposé du caractère du héros. Il est moins parfait. Astérix est très malin, mais Obélix est plus humain.

La naissance des héros

La bande dessinée suit les bouleversements subis par la société. Elle se fait le reflet des craintes et des espoirs de l'homme. Les héros de B.D. naissent à des époques déterminées par des crises économiques, par des crises politiques, par des crises sociales.

La lutte contre le gangstérisme dans l'Amérique des années trente a donné naissance à Dick Tracy, l'inspecteur de police à l'honnêteté parfaite, terreur des gangsters et des escrocs.

Flash Gordon, dans sa lutte solitaire contre Ming, évoque la peur que fait régner l'ordre fasciste de Hitler en Europe. Le héros représente le libérateur des minorités opprimées. Flash Gordon est aussi l'Américain moyen persuadé que la démocratie est le meilleur système politique et qu'elle doit être imposée à tous, éventuellement par la force.

Dans la France des années soixante, au moment où le général De Gaulle parle de la grandeur de la France, apparaît Astérix le gaulois qui vient renforcer l'image du Français en lutte contre les grands empires (Amérique et Union soviétique).

À l'époque des événements sociaux de 1968, naissent des personnages de B.D. qui contestent l'ordre social établit : c'est le Grand Duduche de Cabu.

Héros de la B.D. d'expression française

Nom	Date de naissance	Créateur
Bécassine	1905	J. Pinchon
Les Pieds Nickelés	1908	L. Forton
Bibi Fricotin	1924	L. Forton
Tintin	1929	Hergé
Lucky Luke	1947	Morris
Alix	1948	J. Martin
Blake et Mortimer	1950	E.-P. Jacobs
Gaston Lagaffe	1957	Franquin
Les Schtroumpfs	1958	Peyo
Astérix	1959	Uderzo/Goscinny
Achille Talon	1959	Greg
Paulette	1959	Pichard
Benoît Brisefer	1960	Peyo
Boule et Bill	1960	Roba
Barbarella	1962	J.-C. Forest
Blueberry	1963	Gir/Charlier
La Femme assise	1964	G. Copi
Jodelle	1966	Pellaert
Valérian	1967	J.-C. Mézières
Lone Sloane	1968	P. Druillet
Rahan	1968	Lescureux
Natacha	1970	Walthéry
Yoko Tsuno	1970	R. Leloup
Brindavoine	1973	J. Tardi
Adèle	1976	J. Tardi
Ricky Banlieue	1979	F. Margerin

RAYMOND, *Flash Gordon*, © K.F.S. Opera Mundi.

Tintin en quelques chiffres
Ventes : environ 100 millions d'albums.
Traductions : albums traduits en plus de 33 langues :
Français : Tintin, Milou
Allemand : Tim, Struppi
Anglais : Tintin, Snowy...

TECHNIQUES
PEINTURE
DESSIN
PHOTO
ARTS GRAPHIQUES
CINÉMA-VIDÉO

Le schéma

> *Un schéma est une représentation simple et organisée d'une réalité complexe. Le schéma peut aider à la compréhension d'un exposé.*

Le schéma circulaire

Il rend compte des phénomènes cycliques, lorsqu'une succession d'opérations aboutit à un renforcement de la première. Il est souvent utilisé pour expliciter des phénomènes économiques, climatiques et écologiques.

On organise le schéma dans le sens des aiguilles d'une montre. Dans la mesure du possible on place le point de départ de la lecture en haut.

Le schéma linéaire

Il indique la succession des étapes du fonctionnement d'un système. Il est essentiellement employé pour rendre compte de phénomènes chronologiques qui évoluent vers un aboutissement.

On organise ce type de schéma verticalement ou horizontalement. Le point de départ est placé en haut dans le cas d'une organisation verticale, à gauche dans le cas de la présentation horizontale.

Le schéma pyramidal

Il explique une organisation hiérarchisée. Il permet de décrire une structure. On le rencontre dans les organigrammes de sociétés, dans la description du fonctionnement des institutions.

On organise ce type de schéma en plaçant la base, le plus grand nombre des éléments, en bas, et la tête en haut du schéma.

Les symboles dans un schéma

Les traits et les dessins

Les flèches orientées indiquent le sens de la relation. Du bout de la flèche vers la pointe. Les traits pointillés indiquent une relation faible, non obligatoire ou dissimulée.

Certaines informations peuvent figurer sous forme de dessins symboliques. Ils doivent être clairement compréhensibles. Une légende peut accompagner le schéma.

Les couleurs

On regroupe les opérations appartenant à un même domaine sous la même couleur. Les couleurs froides pour ce qui est naturel, non transformé. Les couleurs chaudes pour ce qui a été fabriqué, transformé.

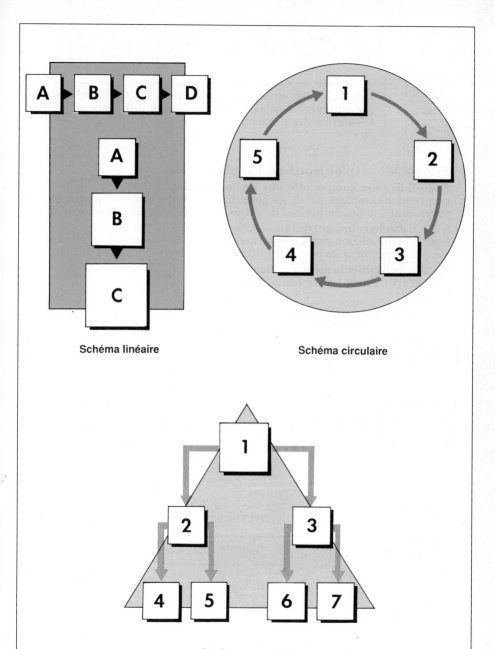

Schéma linéaire

Schéma circulaire

Schéma pyramidal

TECHNIQUES
PEINTURE
DESSIN
PHOTO
ARTS GRAPHIQUES
CINÉMA-VIDÉO

Le schéma explicatif

Expliquer une situation, c'est montrer les liens qui existent entre différents éléments en mettant en valeur les origines et l'évolution des événements.

L'objectif de l'explication

S'agit-il de faire comprendre une réalité complexe ? Dans le cas d'une situation rendue complexe par le nombre, par la multiplicité et l'imbrication des composants, le dessin permet de visualiser plus aisément l'information.

S'agit-il d'animer une présentation écrite (un article) ou orale trop longue ? L'utilisation d'un schéma explicatif permet de relancer l'attention ou de comprendre plus facilement un processus difficile à décrire uniquement par des mots.

S'agit-il de faciliter la mémorisation de l'auditoire ou du lecteur ? Le dessin permet de synthétiser toutes les informations.

La réalisation

On recherche les principales étapes de la situation à expliquer. L'origine, la fin, les étapes qui modifient l'état précédent. Exemple : on veut expliquer une situation historique. On délimite le début et la fin des événements, et l'on ne retient que les événements intermédiaires qui ont joué un rôle important.

On hiérarchise et on organise les informations. On choisit un ordre dans la présentation. Du plus important au moins important pour minimiser l'importance du dernier point ; du moins important au plus important pour donner l'impression inverse (privilégier un point). On peut aussi choisir une démarche chronologique, c'est-à-dire partir de la situation actuelle et revenir en arrière. Ce peut être l'inverse, de l'origine à la conclusion des événements pour retracer l'évolution d'une situation.

On montre ensuite les relations de cause à effet : On place des flèches entre les différents éléments en relation :
— relation directe : traits forts ;   — relation indirecte : pointillés.
On dessine des flèches plus ou moins larges selon la force de la relation.

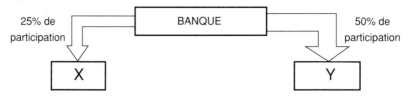

Le commentaire

La légende : elle complète les informations de l'illustration et en facilite la lecture. Elle indique à quoi correspondent les différents symboles et tracés utilisés dans le schéma explicatif.

Le commentaire : il hiérarchise l'information en respectant la disposition du schéma. Il reprend l'essentiel de l'information et la commente en apportant des données supplémentaires (données chiffrées, données historiques...). Il explique en faisant le lien d'un point à un autre.

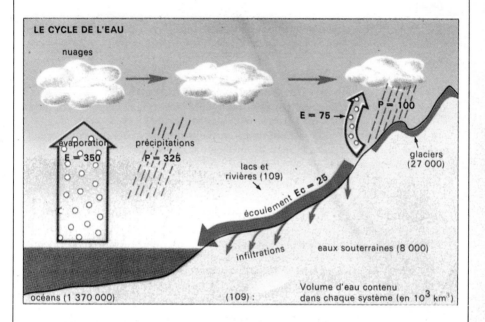

LE CYCLE DE L'EAU

nuages

E = 75 →

P = 100

évaporation
E = 350

précipitations
P = 325

lacs et
rivières (109)

écoulement Ec = 25

glaciers
(27 000)

infiltrations

eaux souterraines (8 000)

océans (1 370 000)

(109) :

Volume d'eau contenu
dans chaque système (en 10^3 km³)

Ce schéma explique le cheminement de l'eau depuis son évaporation jusqu'à son retour à l'océan.

L'évaporation océanique est symbolisée par une grosse flèche contenant des bulles. Elles représentent la vapeur d'eau. Le mot d'évaporation est lui-même inscrit dans la bulle. La quantité d'eau évaporée est elle aussi inscrite dans la flèche. Cette vapeur se condense en nuages. Les nuages se déplacent vers la terre. Le déplacement est représenté par les flèches.

Les nuages provoquent des précipitations. Elles sont représentées ici par des tirets obliques et le nom est inscrit sur la première des précipitations. Une partie de ces précipitations regagne directement l'océan. Une autre partie tombe sur les reliefs (ils sont symbolisés par une coupe du relief). L'eau peut être stockée dans les glaciers (désignés par une flèche).

La fonte des glaciers, les lacs et les fleuves laissent une partie de l'eau s'évaporer et remonter dans les nuages. Ce phénomène est indiqué par une petite flèche identique à la première.
Une partie de l'eau charriée par les fleuves s'infiltre dans les nappes souterraines. Cette information est marquée par les petites flèches orientées vers le bas. Elle est également nommée. Le reste s'écoule vers l'océan ainsi que le marque la grosse flèche.

TECHNIQUES
PEINTURE
DESSIN
PHOTO
ARTS GRAPHIQUES
CINÉMA-VIDÉO

L'organigramme

> *Un organigramme représente sous forme de graphique l'organisation des responsabilités et des fonctions d'une organisation.*

La préparation de l'organigramme

On répertorie tous les organismes qui doivent figurer sur l'organigramme. Les différentes directions, les différents secteurs, les différents services...

On les désigne de manière cohérente en mentionnant trois informations :
— le niveau de l'organisme (Division, Département, Secteur...);
— la fonction de l'organisme (Production, Finances, Commercialisation...);
— le nom du responsable de l'organisme.

Le dessin de l'organigramme

On visualise la nature et l'activité de l'organisme. La forme que l'on donne au cadre dans lequel on inscrit l'organisme (rond, rectangle, ovale...) doit permettre de différencier :
— l'organisme d'état-major : Comité de direction, Comité financier, Comité social... ;
— l'organisme fonctionnel : Service finance, Service personnel, Service planification... ;
— l'organisme opérationnel : Département achats, Département production...

La hiérarchisation des composants

Verticalement, on détermine les niveaux de la structure. On visualise cette hiérarchie en diminuant la taille des cadres au fur et à mesure que leur nombre augmente.

Horizontalement, la place de l'organisme est située à son niveau hiérarchique. Elle est établie logiquement par le degré d'autonomie de l'organisme. On place côte à côte des organismes de même niveau qui entretiennent des relations dans le temps (le Service conditionnement se trouvera au côté du Service expédition).

Les types de relations entre les organismes

Relations opérationnelles : des traits continus épais relient les cadres. Ils constituent la charpente de l'organigramme.

Relations fonctionnelles : elles sont établies par des traits plus fins qui se greffent sur les relations opérationnelles.

Relations informelles de collaboration ou de conseil : lorsqu'elles existent, ce qui n'est pas toujours le cas, elles sont souvent représentées en pointillés.

Le rôle de l'organigramme

Il est essentiellement destiné à donner une image de l'organisation d'un groupe. Il permet de situer précisément un service particulier dans ses relations avec les autres. C'est un moyen de savoir exactement qui est responsable de quoi.

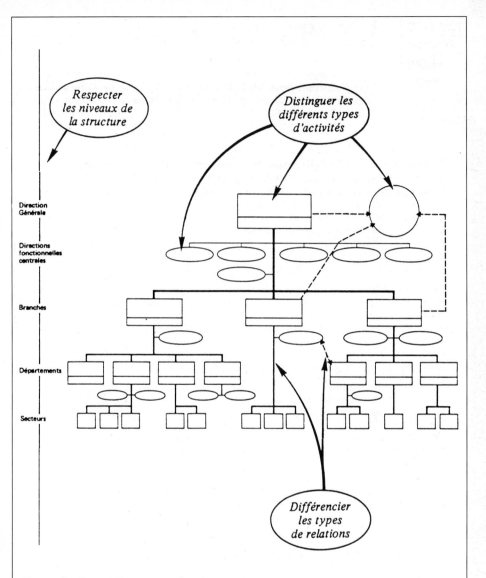

Exemple d'organigramme classique

Les niveaux de la structure sont présentés sur l'organigramme. Le plus important figure en haut de la pyramide. La hiérarchie est marquée par la place dans la pyramide et par la grandeur du cadre.

Les différents types d'activités apparaissent dans la forme du cadre. Dans les rectangles sont inscrites les différentes branches d'activités. Dans les ovales figurent les directions. Dans le cercle, on trouve l'organisme de contrôle.

Les traits continus forts indiquent une relation de dépendance entre différentes branches. Les traits fins marquent une relation de fonction. Les traits pointillés indiquent une collaboration occasionnelle entre les services.

| TECHNIQUES |
| PEINTURE |
| **DESSIN** |
| PHOTO |
| ARTS GRAPHIQUES |
| CINÉMA-VIDÉO |

Le plan

> *Le plan rend possible une vision plus gobale de l'ensemble et une bonne distribution des fonctions. Dans le cas d'une habitation, il permet d'envisager la répartition logique du mobilier.*

La fonction de chaque pièce

Avant de mettre un plan au point, il faut réfléchir à l'utilisation de chaque pièce, à leur temps d'occupation, au nombre d'allées et venues faites d'une pièce à l'autre au cours de la journée.

Sur une feuille de papier, on trace des cercles qui correspondent approximativement à la surface de chaque pièce. Puis, on indique par une flèche les liaisons entre chacune des parties de l'habitation au cours d'une journée. Enfin, on note à l'intérieur de chaque cercle toutes les idées que l'on associe à cette pièce (activité, ambiance, type d'espace, etc.).

Exemple :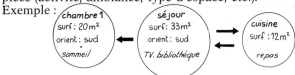

chambre 1
surf : 20 m²
orient : sud
sommeil

séjour
surf : 33 m²
orient : sud
TV. bibliothèque

cuisine
surf : 12 m²
repas

L'analyse du croquis permet ensuite de juger l'agencement des pièces et d'apprécier quelle peut être la disposition la plus logique.

Le tracé du plan des lieux

On mesure les dimensions de chaque pièce et on les reporte sur une esquisse. On choisit une échelle, c'est-à-dire le taux de réduction qu'on va utiliser.

Exemple : 1 cm par mètre signifie qu'un mètre dans la réalité se traduit sur le plan par 10 millimètres.

De préférence sur du papier millimétrique, on trace le contour du bâtiment, puis à l'intérieur, à l'échelle, on dessine chacune des pièces. Le tracé est repassé à l'encre puis on note sur le plan toutes les dimensions réelles des lieux.

La répartition et l'aménagement de chaque pièce

A l'intérieur de chaque pièce, on organise les zones d'activité et de circulation puis on répartit le mobilier.

Méthode 1 : on utilise une feuille de papier calque pour dessiner par transparence les équipements qui auront été tracés auparavant et séparément sur une page blanche. On voit ensuite les différentes possibilités d'aménagement.

Exemple :

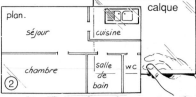

page avec les symboles — ① — calque

plan. — séjour — cuisine — calque
chambre — salle de bain — wc — ②

Méthode 2 : on découpe dans du papier de couleur la surface de tous les éléments à mettre en place. Il sera alors plus facile de placer chaque pièce de couleur en la poussant du doigt pour trouver la disposition idéale du mobilier. On évite ainsi de possibles erreurs, car on travaille sur une vue d'ensemble que l'on peut modifier si on le désire.

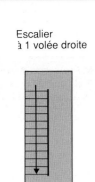

Escalier
à 1 volée droite

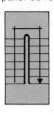

Escalier à droite
à 2 volées
à palier de repos

Escalier à gauche
à 3 quartiers
tournants balancés

Escalier à droite
en courbe
à 1 volée

Escalier à gauche
balancé

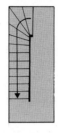

Escalier à gauche
à quartier tournant
balancé au départ

Différents types d'escaliers

La flèche indique le sens de montée des escaliers.

Fenêtre

Porte

Portes et ouvertures (fenêtres,...)

Porte : elle est représentée ouverte. On figure l'angle et l'espace couverts par l'ouverture de la porte.

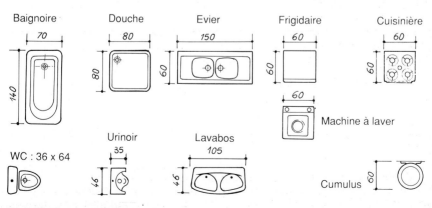

Baignoire   Douche   Evier   Frigidaire   Cuisinière

70   80   150   60   60

140   80   60   60   60

WC : 36 x 64

Urinoir   Lavabos
35   105

60

Machine à laver

Cumulus   60

Installations sanitaires

TECHNIQUES

PEINTURE

DESSIN

PHOTO

ARTS GRAPHIQUES

CINÉMA-VIDÉO

La carte

La carte est un moyen de représentation conventionnel du terrain comme s'il était observé d'en haut. Les données sont recueillies, sélectionnées et retraduites par des signes et des symboles.

Le choix de l'échelle

L'échelle d'une carte est le rapport qui existe entre les longueurs mesurées sur la carte et les longueurs correspondantes mesurées sur le terrain.

Exemple : 1/50 000 signifie que 1 cm sur la carte représente 50 000 cm sur le terrain, c'est-à-dire 500 m.

Elle est choisie en fonction du problème à traiter et de la surface à représenter.

Exemples : — quand on désire un maximum de précision dans le détail, on utilise une grande échelle (1/50 000, 1/20 000, 1/10 000);
— quand on veut avoir une vue plus large, on utilise une petite échelle (1/500 000, 1/1 000 000...).

Les cartes spécialisées

Types de cartes	Représentation	Utilité
Cartes topographiques	Représentation de la surface terrestre concernant la position, la forme, les dimensions, l'identification des accidents du terrain ainsi que les objets qui s'y trouvent.	À grande et à moyenne échelle : fournir une représentation fidèle du terrain. À petite échelle : représenter les traits généraux d'un État, d'un continent.
Cartes géologiques	Représentation : de la disposition des terrains.	Montrer la nature des terrains (âge...).
Cartes thématiques : • analytiques	Représentation conventionnelle d'un sujet ou d'un thème spécialisé.	Fournir une illustration de données. Représenter l'extension ou la répartition d'un phénomène et ses rapports avec l'espace géographique (carte de population...).
• synthétiques	Regroupement par superposition ou imbrication de plusieurs cartes.	Expliquer ou présenter un phénomène complexe à un moment donné. Traduire un mouvement dans l'espace (flux).

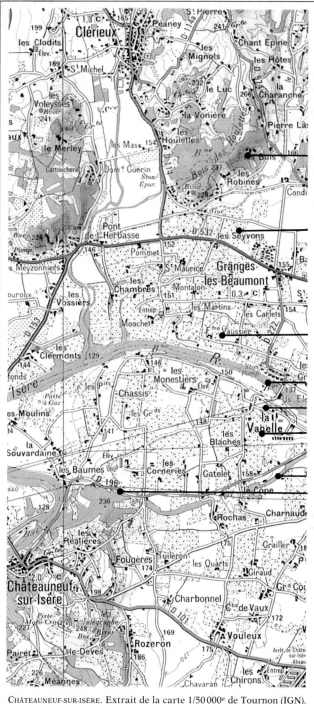

L'estompage. Il permet de mettre en valeur le relief, par des ombres qui traduisent le modelé du terrain supposé éclairé du côté nord-ouest.

Courbe de niveau. Ligne imaginaire qui joint tous les points d'un relief situés à la même altitude. Par leur mouvement général, elles représentent les formes du terrain.

Chaque carré noir représente le dessin d'une maison.

Limite de commune.

Ligne électrique.

Vergers et plantations.

Bois.

Point coté. Il marque l'altitude de certains points caractéristiques. Il permet d'évaluer les petites dénivellations.

CHÂTEAUNEUF-SUR-ISÈRE. Extrait de la carte 1/50 000ᵉ de Tournon (IGN).

TECHNIQUES
PEINTURE
DESSIN
PHOTO
ARTS GRAPHIQUES
CINÉMA-VIDÉO

Le graphique

> *Les graphiques font partie d'un système de signes construits pour communiquer des informations chiffrées. Ils font apparaître des relations entre des données ou des ensembles de données.*

Pourquoi utiliser un graphique ?

Il donne une vue d'ensemble : le graphique est immédiatement lisible, alors que la lecture d'un tableau statistique est plus lente.

Il permet de mettre en évidence ce que le tableau statistique fait mal apparaître (évolution, rupture, part respective des secteurs, etc.).

Il facilite les comparaisons et permet de poser des problèmes.

Un graphique peut être une simple illustration, mais il peut aussi provoquer la réflexion, influencer une décision.

Les chiffres représentés

Pour montrer des transformations de quantités, on prend des chiffres en valeur absolue : 240 tonnes, 600 000 habitants.

Pour montrer les évolutions de produits différents et des composantes d'un même ensemble, on choisit des valeurs relatives : pourcentages et indices.

Les pourcentages sont régulièrement utilisés pour exprimer une part (55 % de la production) ou pour quantifier une évolution (augmentation de 25 % de la population). Les indices permettent de montrer l'évolution de données difficilement comparables par leur nature (par exemple des productions différentes). On réduit tout à la base 100 en faisant une règle de trois :

$$\frac{100 \times \text{quantité de l'année pour laquelle on cherche l'indice}}{\text{quantité de l'année de référence}}$$

Les types de graphiques

Le graphique en courbe : il permet de montrer une évolution si l'on a une série continue de chiffres. S'il y a plusieurs courbes, une couleur différente est utilisée pour chacune afin de comparer leur tracé.

Le graphique en barres : il permet de montrer une évolution à partir d'une série discontinue de chiffres. Il permet aussi de visualiser des répartitions. Chaque colonne a une hauteur proportionnelle au nombre qu'elle représente.

Le graphique circulaire ou demi-circulaire : il permet de visualiser une répartition. Il est utilisé pour mettre en évidence les phénomènes majoritaires ou minoritaires. Il est cependant difficile à construire : il nécessite des calculs, 100 % équivalent à 180° (demi-cercle) ou à 360° (cercle).

Le commentaire

Il donne le titre, la légende et les références du graphique.

Il décrit ce que l'on voit.

Il interprète le graphique.

Il énonce ses limites éventuelles : quelles informations importantes ne sont pas représentées ?

Il apporte des explications aux informations dégagées en les confrontant à une documentation plus vaste.

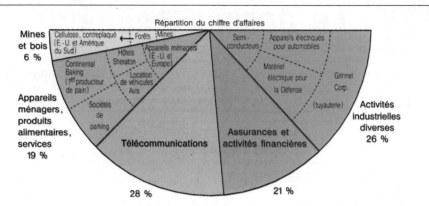

Le graphique demi-circulaire : secteur d'activité de l'économie américaine.

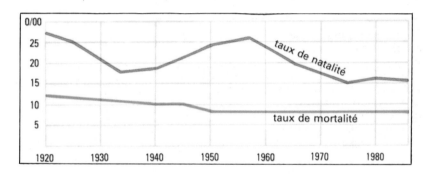

Le graphique en courbe : l'évolution des naissances et des morts en France.

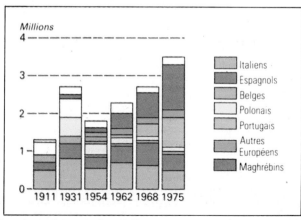

Le graphique en barres : les différents groupes nationaux en France.

TECHNIQUES
PEINTURE
DESSIN
PHOTO
ARTS GRAPHIQUES
CINÉMA-VIDÉO

Le dessin technique

> *Le dessin technique est un langage conventionnel, soumis à des règles définies par la normalisation, qui permet de communiquer de manière rigoureuse et économique.*

Les types de dessins

Le croquis est un dessin établi sans l'aide d'instruments de mesure ou de guidage. Il est utilisé lorsque l'on veut faire comprendre un mécanisme, de manière très générale.

Le schéma est un dessin, sous une forme symbolique plus ou moins abstraite, des fonctions remplies par une suite de mécanismes, d'organes de transmission. On construit un schéma lorsque l'on veut faire réfléchir sur les fonctions d'une machine.

L'esquisse est le dessin préliminaire des grandes lignes d'un projet. C'est une sorte de brouillon à partir duquel on réalise la mise au net.

Le dessin est la représentation graphique aussi exacte que possible en formes et en positions. C'est le dessin que l'on communique au service de fabrication.

Les traits normalisés

Les traits se caractérisent par leur nature (continu, interrompu, mixte) et par leur largeur (fort, fin).

Trait	Désignation	Applications générales
A ▬▬▬	Continu fort	A1) Contours vus A2) Arêtes vues
B ―――	Continu fin (aux instruments)	B1) Arêtes fictives vues B2) Lignes de cote B3) Lignes d'attache B4) Lignes de repère B5) Hachures B6) Contours de section rabattues sur place B7) Axes courts B8) Constructions géométriques vues
C ～	Continu fin à main levée	C1) Limites de vues ou coupes, partielles ou interrompues, si ces limites ne sont pas
D ─/\─/\─	Continu fin (droit avec zigzags)	D1) des traits mixtes fins
E ▬ ▬ ▬ ▬	Interrompu fort	E1) Contours cachés E2) Arêtes cachées
F ─ ─ ─ ─	Interrompu fin	F1) Contours cachés F2) Arêtes cachées F3) Constructions géométriques cachées
G ────--	Mixte fin	G1) Axes de révolution G2) Traces de plans de symétrie G3) Trajectoires

L'échelle

L'échelle d'un plan indique la valeur du rapport entre les dimensions de la pièce dessinée et les dimensions de la pièce réelle.

On se limite aux échelles suivantes :
— échelle 1 : grandeur d'exécution ou « vraie grandeur ». On l'utilise surtout pour les dessins de conception. La pièce dessinée a les mêmes dimensions que la pièce réelle ;
— réduction : échelles 1:2 ; 1:5 ; 1:10 ; 1:20 ; 1:50 ; 1:100 ; 1:200 (etc.);
— agrandissement : échelles 2:1 ; 5:1 ; 10:1 ; 50:1 (etc.).

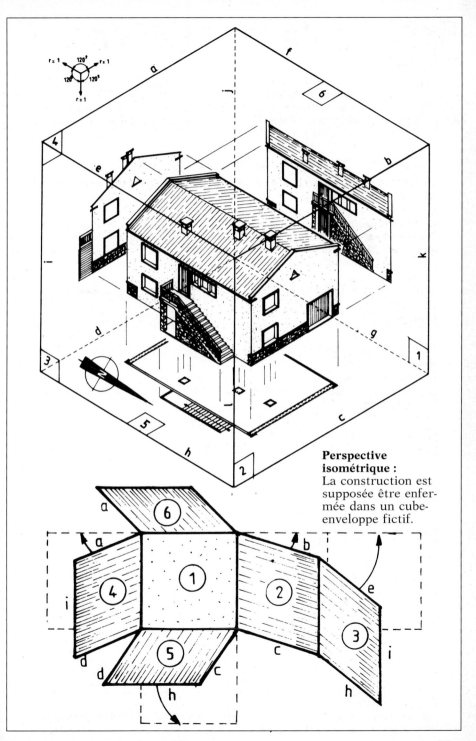

Perspective isométrique : La construction est supposée être enfermée dans un cube-enveloppe fictif.

TECHNIQUES
PEINTURE
DESSIN
PHOTO
ARTS GRAPHIQUES
CINÉMA-VIDÉO

La photographie

A partir d'un constat ancien, la projection de l'image, et d'une découverte plus récente, la propriété des sels d'argent, le procédé photographique apparaît au XIXᵉ siècle. Il évolue rapidement grâce à une série de découvertes qui permettent une mise au point progressive.

La première photographie (Nicéphore Niepce)

Nicéphore Niepce découvre au XIXᵉ siècle que le bitume de Judée, corps voisin du goudron, est sensible à la lumière. Sous l'action de celle-ci, le bitume de Judée durcit tandis que les parties protégées peuvent être éliminées grâce à un mélange de pétrole léger et d'huile de lavande. Niepce associe l'utilisation de ce procédé à celle de la chambre obscure et expose le paysage situé devant sa maison de Saint-Loup-de-Varenne : c'est la première photographie du monde.

Les premiers perfectionnements (1827-1874)

La recherche d'une plus grande commodité d'emploi, de temps de pose plus courts, de résultats plus esthétiques suscite une série d'améliorations dont les principales étapes sont les suivantes :
— le daguerréotype (du Français Daguerre) : réduction du temps de pose, image fine ;
— le calotype (de l'Anglais Talbot) : possibilité de reproduction de l'image ;
— la pellicule, surface sèche sensible, sortie sur le marché londonien en 1874.

L'évolution du matériel

L'appareil photo
La chambre obscure, ancêtre de l'appareil photo, est dotée de lentilles permettant une meilleure définition de l'image. En 1925, l'industrie allemande crée le Leica, appareil qui utilise, comme le cinéma, le film 35 mm. Maniable, doté d'un obturateur silencieux, il est rapidement l'auxiliaire des grands reporters. Après la Seconde Guerre mondiale, l'industrie japonaise imite et perfectionne le modèle. Son format (24×36) devient le standard le plus répandu.

La pellicule souple
Au début du siècle, George Eastman (fondateur de Kodak) a l'idée d'utiliser un support de celluloïd souple pour l'émulsion photographique. Il devient alors possible de stocker sur un même support un grand nombre de clichés et d'industrialiser le procédé.

Les procédés couleur
Ils sont fondés sur le principe de la trichromie (restitution de toutes les couleurs à partir de systèmes de mosaïques colorées) : parmi les plus anciens « l'autochrome » des frères Lumière (émulsion composée de grains de fécule colorés) et parmi les plus récents, le « Polavision » de Polaroïd, procédé à développement instantané (1977). La plupart des émulsions modernes possèdent trois couches colorées différentes qui, par transparence, restituent les couleurs.

L'automatisation
Dans les appareils actuels, l'ensemble des problèmes liés à la prise de vue est résolu automatiquement : un microprocesseur analyse l'ensemble des paramètres et prend en une fraction de seconde toutes les décisions utiles.

Un photographe ambulant à la fin du XIXe siècle.

Le photographe utilise la plaque au collodion humide. Le calotype était flou et peu défini en raison de l'épaisseur du papier et des imperfections de celui-ci. La plaque au collodion humide permet de mettre l'émulsion sur une plaque de verre : la qualité s'améliore et les temps d'exposition sont plus courts. Ce progrès, qui date du milieu du XIXe siècle, entraîne le recours à un matériel impressionnant : tente de développement, dans la mesure où la préparation de la plaque et son développement doivent s'effectuer sur les lieux mêmes de la prise de vue, appareil de 35 kg, pied de 20 kg environ. Le photographe de l'époque est nécessairement un individu à la mobilité réduite... C'est dans ces conditions que furent effectués les premiers reportages (guerre de Sécession, guerre de Crimée).

Un peu plus tard, on remplaça la plaque de verre par une plaque métallique laquée en noir. Ce procédé peu coûteux, appelé Ferrotype, fut beaucoup employé par les photographes de foire qui disposaient d'appareils conçus pour que toutes les opérations soient effectuées à l'intérieur de la caisse. Il permit de fixer l'image de nombreuses personnes qui ne seraient jamais entrées dans un studio.

TECHNIQUES

PEINTURE

DESSIN

PHOTO

ARTS GRAPHIQUES

CINÉMA-VIDÉO

La capture de l'image

« Photographier, c'est dans un même instant et en une fraction de seconde reconnaître un fait et l'organisation rigoureuse des formes qui expriment ce fait. C'est mettre sur la même ligne de mire la tête, l'œil et le cœur » dit Henri Cartier-Bresson.

Une conception particulière de la photographie

Après la Seconde Guerre mondiale, certains photographes apparaissent particulièrement attentifs au spectacle des rues et aux expressions fugitives révélatrices de traits psychologiques ou sociaux. Robert Doisneau, Izis, Willy Ronis, Edouard Boubat effectuent une sorte de reportage humaniste. En 1947, Capa, Cartier-Bresson, David Seymour et George Rodger créent une agence destinée à assurer à ceux qui le veulent indépendance et créativité : l'agence Magnum. Cartier-Bresson devient le théoricien et le principal représentant d'une tendance qui fait de la photographie un moyen de comprendre et de questionner le monde et qui refuse tout arrangement susceptible d'ôter sa valeur et sa signification à l'instant photographique.

L'instant photographique

Il existe un moment privilégié pour le déclenchement photographique. Il s'agit de l'instant où les éléments d'une scène constituent un temps fort de la signification (aspect insolite, révélation d'un trait psychologique ou social) et s'organisent sur le plan esthétique par la relation des formes et des couleurs.
La capacité à déclencher la prise de vue au moment le plus favorable dépend de la concentration du photographe, de sa sensibilité et de son aptitude à composer l'image.

La maîtrise de l'espace

Il existe un point de l'espace d'où une scène·est perçue avec plus de force et de netteté. La recherche du meilleur emplacement de prise de vue est celle d'une correspondance entre l'intention et le cliché réalisé.
Le choix doit garantir la lisibilité de l'image : éviter que certains personnages soient masqués par d'autres, que des éléments parasites perturbent involontairement le sens, que la scène perde son caractère émouvant ou dramatique parce qu'elle est trop éloignée.
La recherche d'une image spontanée, non « fabriquée » ou arrangée à l'avance, exige une aisance du photographe à évoluer dans l'espace. Elle demande une adaptation à une réalité qui bouge, une anticipation intuitive des mouvements.

Une composition forte : le visage de l'enfant se détache à l'intersection des diagonales de l'image. Les bouteilles se trouvent sur les lignes des tiers.

Sans la chaîne des regards la photographie serait moins forte. En effet, chaque regard exprime un sentiment différent.

L'arrière-plan : il permet de situer le contexte de la scène.

fond semi-ouvert

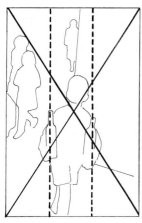

L'instant photographique : c'est celui qui combine en même temps l'attitude d'intense satisfaction de l'enfant et le regard surpris et admiratif de la fillette du second plan.

Cette photographie de Henri Cartier-Bresson (né à Chanteloup en 1908) montre le « titi parisien » d'une certaine période du XXe siècle. La construction de l'image, l'instant photographique et le choix du noir et blanc confèrent à la photographie une forte signification symbolique. « On doit toujours photographier dans le plus grand respect du sujet et de soi-même », dit son auteur.

TECHNIQUES

PEINTURE

DESSIN

PHOTO

ARTS GRAPHIQUES

CINÉMA-VIDÉO

La densité de l'instant

Ce qui fait la force d'une photographie, c'est que son intérêt ne se limite pas à l'actualité. La disponibilité du photographe, son intuition, et la rigueur des règles esthétiques peuvent assurer la permanence et la richesse du message.

FONCTION	RÔLE	EXEMPLE (photographie de Cartier-Bresson : *Sur les bords de la Marne* - 1938)
Référentielle	Représenter, reproduire le réel, acquérir une fonction documentaire.	Témoignage d'une époque, d'un contexte social : péniche et famille d'un marinier.
Émotive (ou expressive)	Exprimer la sensibilité, l'opinion de celui qui émet le message. C'est le point d'où part le regard qui introduit la subjectivité. Le photographe exprime son point de vue en fonction de l'endroit où il se place et du moment où il effectue le déclenchement photographique.	Le photographe a choisi le moment où une scène (les deux femmes et l'enfant) est regardée par un personnage qui occupe une position centrale au premier plan. La subjectivité du photographe n'est pas dominante : elle est relayée par ce personnage vu de dos.
Conative (ou incitative)	Agir sur le destinataire, transformer son opinion ou son intention : « La photographie ne doit pas chercher à prouver mais elle peut convaincre quand elle ne cherche pas à le faire » (Marc Riboud, photographe de l'agence Magnum).	Le sourire des visages, les gestes d'ouverture, la chaîne des regards (bébé regardé par les deux femmes et par l'homme, homme regardé par le chien) suscitent une sympathie pour un univers simple et d'une grande richesse affective.
Phatique (ou fonction de contact)	Attirer l'attention du destinataire et la retenir. Souvent une rupture (élément surprenant, angle de prise de vue inhabituel, contradiction entre deux éléments formels) oblige l'œil à s'attarder sur une image. Les points forts qui imposent un sens de lecture participent également à cette fonction.	Le personnage vu de dos constitue une part d'inconnu qui suffit à arrêter le regard. Celui-ci circule d'une tache claire à une autre (partie ensoleillée de la péniche, bébé, homme, chien), du clair à l'obscur (bébé, femmes) et d'un regard à l'autre. L'opposition marquée entre éléments clairs et foncés augmente la lisibilité et contribue à créer le contact.
Poétique (éléments esthétiques)	Jouer avec le code du message. Pour la photographie, il peut s'agir de la composition, de l'éclairage, des couleurs, du tirage plus ou moins contrasté... La présence d'un liseré noir correspondant aux bords mêmes du négatif indique que la photo n'a subi aucun recadrage : c'est une forme d'élégance et la marque d'une certaine conception de l'art photographique.	La photographie est marquée par une composition forte (symétrie légèrement décalée, scène importante à gauche, moins importante à droite). Elle joue sur des rappels de motifs formels (rectangles de la partie supérieure de la péniche et rectangle de la porte). La verticalité est dominante. La scène qui s'encadre dans la porte évoque une nativité de la peinture italienne.

C'est le seul élément qui resta au point de cette image.

Photographie de Henri CARTIER-BRESSON.

TECHNIQUES

PEINTURE

DESSIN

PHOTO

ARTS GRAPHIQUES

CINÉMA-VIDÉO

La photo de presse

La photographie de presse permet d'attester l'authenticité d'un événement. Elle doit être immédiatement lisible. En fonction de ce qu'elle suggère, de la place qu'elle occupe dans la page, de son cadrage et du texte qui l'accompagne, elle peut orienter l'opinion de façon décisive.

Débuts de la photographie de presse

C'est en 1842 que la première photographie fut publiée dans la presse londonienne. Le premier reportage photographique, fut réalisé pendant la guerre de Crimée par l'Anglais Felton. Il faut attendre 1880 pour que paraisse dans un journal une photographie reproduite par des moyens purement mécaniques (reproduction de la photographie à travers un écran tramé puis passage du cliché sous une presse en même temps que le texte composé). A cette époque, les clichés sont effectués en dehors du journal et parviennent rarement, par suite des retards provoqués, à suivre l'actualité. C'est au début du xxe siècle que le procédé mécanique se généralise, s'intègre au journal et constitue une véritable révolution dans la communication. Le photojournalisme se développe.

Photographie de presse et information

La photographie a l'avantage d'informer de façon immédiate et de permettre une représentation des lieux et des scènes que ne rendrait pas une description. On parle alors de son taux d'« iconicité ». Ainsi une photographie de la place Tien An Men occupée par les étudiants à Pékin au moment de la visite d'un chef d'État étranger peut être considérée comme dotée d'un fort coefficient d'iconicité : elle atteste un événement et apparaît comme le signe très spectaculaire d'une évolution latente. Inversement, si l'annonce lointaine d'une réunion à la Chambre des députés est accompagnée d'une photographie de l'édifice, celle-ci peut apparaître au lecteur français comme un simple bouche-trou : le coefficient d'iconicité de la photographie choisie est alors faible, sinon nul.

Deux photographies d'un même événement peuvent aboutir à des interprétations différentes

La présence d'une personne sur l'image : le composant vivant domine le composant inanimé. Le journaliste Paul Almasy cite l'exemple d'une voiture photographiée de profil dans toute sa longueur, avec au volant un visage féminin. A la question « Que voyez-vous ? », 92 personnes sur 100 ont répondu : « Une femme au volant d'une voiture ».

La place de la personne sur l'image : placée sur la gauche celle-ci domine l'image, placée à droite elle devient un élément secondaire, le regard du lecteur glissant toujours de la gauche vers la droite.

L'instant photographié : deux photographies de presse peuvent être authentiques et communiquer des perceptions contraires d'un même événement. Il suffit de quelques fractions de seconde dans la prise de vue : visage grave ou souriant, présence ou absence d'une marque de menace, choix de l'agresseur.

Certains procédés sont utilisés systématiquement et peuvent être repérés :
— place de la photographie (valorisation de ce qui correspond au sens de lecture, en haut à gauche, ou qui intervient en position centrale);
— superficie de la photographie par rapport à celle du journal;
— renforcement de l'image par une autre image (photographie ou dessin) ou au contraire contamination et dévalorisation en fonction du choix effectué;
— cadrage (suppression d'éléments parasites ou gênants...);
— choix de la légende, des titres et sous-titres qui fixent le sens.

Le commentaire : il oriente l'interprétation : « ligne rétro », « fumée bleue », « tombée sous le charme ».

Le composant inanimé : si la photo n'avait montré que la voiture, elle aurait été à peine regardée.

Le personnage placé à gauche est l'élément principal de l'image.

Les composants animés : ils suscitent l'intérêt du lecteur, ils attirent son regard.

Avec sa ligne rétro et son moteur à deux temps crachant une fumée bleue, elle a transporté cahin-caha des milliers de réfugiés est-allemands. La RFA est tombée sous le charme.

Passage de Trabant jeudi à la frontière entre l'Autriche et la RFA.

Image parue dans *Libération* des 15 et 16 septembre 1989.

La légende oriente le sens de l'image, elle précise le lieu et les circonstances, elle indique donc la lecture qui doit être faite : le passage d'une frontière (et non pas un contrôle), le départ d'une course ou le tournage d'un film, autant de légendes qui auraient pu figurer.

TECHNIQUES
PEINTURE
DESSIN
PHOTO
ARTS GRAPHIQUES
CINÉMA-VIDÉO

La photo de mode

La photographie de mode correspond à un phénomène écono-mique et esthétique, et doit sa diffusion à la presse qui lui sert de support.

L'évolution

A partir de 1858, la haute couture parisienne fait son apparition avec la création de la maison Worth, rue de la Paix. Les œuvres vestimentaires sont portées par des actrices et des femmes du monde pour lesquelles la photographie constitue la marque d'un pouvoir (séduction et fortune).

Les photographies de mode cherchent à ressembler le plus possible à des dessins. Elles sont retouchées, et certains accessoires sont ajoutés au pinceau.

A partir de 1920, la photographie de mode se libère des poses conventionnelles empruntées au portrait peint ou photographié (femme debout devant une colonne antique, un accessoire à la main). Le photographe Edward Steichen n'hésite pas à présenter des femmes qui jouent au golf.

C'est vers la Seconde Guerre mondiale que les magazines de mode se développent de façon importante et se diversifient. *Marie-Claire*, lancé en 1937, tire très vite à 800 000 exemplaires. Les magazines relativement populaires comme *L'Écho de la Mode, Modes et Travaux* et *Femme d'aujourd'hui* conservent le souci d'une présentation du vêtement permettant de le reproduire. Mais la tendance dominante (*Elle, Marie-Claire, Marie-France, Dépêche-Mode, 20 ans, Jacinthe*, ...) suggère un style de vie.

La technique

Le personnage

Les attitudes des mannequins reflètent une façon de vivre et se diversifient en fonction du statut de la femme. Leur caractère commun est d'être souvent excessives ou théâtrales (geste large, appuyé, stylisé). La pose du mannequin doit permettre de montrer l'architecture du vêtement. En même temps, elle participe au système de la mode qui plonge le lecteur dans une certaine irréalité.

Le vêtement

Vêtement image et vêtement écrit ne sont pas séparés. L'image est accompagnée d'une légende qui n'a pas d'utilité descriptive mais suscite le désir.

Le décor

Il doit provoquer des associations d'idées qui renforcent les connotations suggérées (ex. : plage de sable évoquant évasion et liberté pour une tenue décontractée). Il peut jouer sur l'opposition et le contraste (ex. : vêtement luxueux et citadin sur toile de fond d'exotisme et de pauvreté). Il introduit des correspondances colorées et graphiques (ex. : texture d'un tweed et rugosité du granit ou rigueur d'une coupe et verticalité des lignes).

La légende

Elle valorise le vêtement, fournit un complément d'explication (type de tissu, coupe) tout en jouant sur le désir. Elle inscrit le vêtement dans un style de vie.

Sym
fond ouvert

Lumière artificielle et lumière naturelle : c'est un vêtement pour la journée et pour le soir (opposition entre le clair et le foncé).

Le décor : il donne sa signification au vêtement. C'est un univers masculin (le billard), où l'on trouve la compétition, le jeu. L'espace

montré évoque la fuite (la perspective) mais aussi un certain luxe.

CLOUS Sur cuir noir... Tout un symbole interprété ici en pièces de métal et pierres de couleurs : une composition sur la veste près du corps et sur le gilet qui se marie à un simple T-shirt en stretch, un jodhpur martial et des bottes de motard (Martine Sitbon). Bagues (Schulla et J.-P. Gaultier).

La légende : elle reprend les associations («mariage») utilisées dans l'image entre le vêtement féminin et les connotations masculines «martial, bottes de métal...»

Le vêtement : le décor permet de l'interpréter.
Provocation : cuir, clous, et féminité.
Compétition : les bottes de motard.

Audace : le noir de la nuit, le cuir qui est comme une seconde peau.

TECHNIQUES
PEINTURE
DESSIN
PHOTO
ARTS GRAPHIQUES
CINÉMA-VIDÉO

La photo scientifique

La photographie scientifique multiplie les capacités visuelles de l'homme. Elle offre une autre image de la réalité.

Un autre regard sur le réel

Figer l'instant : la photographie scientifique saisit dans l'instant un processus en cours de déroulement. L'analyse stroboscopique permet d'analyser des mouvements ultrarapides, impossibles à percevoir directement. La succession des flashes électroniques à répétition donnent l'illusion de la lenteur. On perçoit ainsi les différents stades du mouvement.

Agrandir le visible : l'œil ne peut percevoir la réalité dans tous ses détails. La macrophotographie réalise un effet loupe qui agrandit l'image des insectes, végétaux ou minéraux pour que l'œil en perçoive toute la complexité. L'agrandissement de l'œil à facettes d'un taon par exemple permet de comprendre pourquoi il voit ce qui se passe derrière lui.

Montrer l'invisible : l'acuité de l'œil est insuffisante pour découvrir exactement l'état de surface de la peau par exemple ; la microphotographie (la photographie alliée au microscope) pallie cette insuffisance. Elle montre la structure d'un cheveu, l'aspect du virus de la grippe ou la forme d'une cellule.

Le caché dévoilé

La photo à l'infrarouge : une pellicule et un filtre spéciaux, d'abord utilisés par les militaires pour des missions de surveillance et de renseignement, permettent aux scientifiques d'étudier la Terre. Le vert des feuilles est de couleur pourpre-foncé dans le cas d'un feuillage persistant, rouge pour un feuillage caduc sain, vert ou bleu si le feuillage est malade.

La photographie à l'infrarouge sert également à la recherche médicale, à l'établissement de diagnostics médicaux. Elle permet aussi la détection de signatures effacées, de peintures recouvertes, voire du contenu d'enveloppes cachetées.

La photo à l'ultraviolet : elle couvre le domaine qui s'étend du violet visible jusqu'à la limite des rayons X. Avec la photographie à l'ultraviolet, les couleurs sont modifiées : les objets de verre paraissent opaques, le blanc de la porcelaine ou des fleurs devient noir. L'ultraviolet est utilisé pour photographier les insectes et les fleurs.

Le domaine d'emploi le plus important de la photographie à ultraviolet est celui des expertises et de la recherche de falsifications. Associé à la photo à l'infrarouge, l'ultraviolet permet de distinguer une perle fine d'une perle de culture, de déchiffrer des manuscrits lorsque l'écriture est pratiquement invisible, ou de repérer les réparations sur un tableau par exemple.

La photo aux rayons X : les rayons X traversent de nombreuses substances et sont plus ou moins absorbés par les différents constituants, ce qui se traduit sur une photo par une variation de l'intensité des gris. Les applications médicales de la photographie aux rayons X sont nombreuses et connues. Les rayons servent à explorer le corps humain par radiographie, radioscopie ou tomographie.

La photographie aux rayons X a également de nombreuses applications industrielles moins connues : contrôle non destructif d'organes de sécurité dans l'aviation, vérification des soudures, examen de la structure interne des objets (du circuit imprimé aux cuves des supertankers).

L'image est obtenue sur un écran cathodique. Les électrons traversent l'objet et lorsqu'ils frappent l'écran font apparaître un point lumineux.

Le virus de la grippe se présente comme une sphère hérissée de «piquants» (en orange sur l'image).
La consistance du virus est marquée par l'intensité colorée.

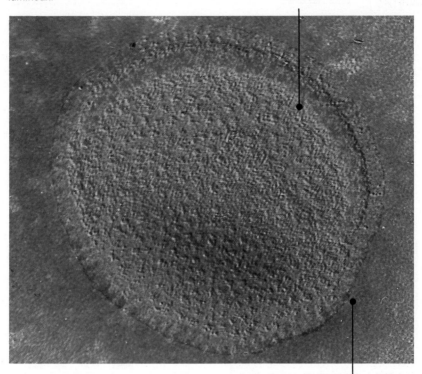

Une micrographie : seul l'usage d'un microscope électronique allié à un appareil de prise de vue peut donner une image aussi agrandie d'un virus.

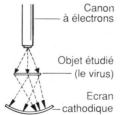

Canon à électrons

Objet étudié (le virus)

Ecran cathodique

La couleur est artificielle. L'image donnée par le microscope électronique est en fait en noir et blanc. Elle est ensuite colorée sur ordinateur.

L'électronographie ne donne une information qu'au spécialiste qui peut déchiffrer les signes qui la composent. Le lecteur moyen y voit une construction que le jeu des couleurs rend plus ou moins esthétique. La structure du virus devient lignes de construction d'une composition abstraite. La vie de l'infiniment petit a disparu au profit de l'image figée.

TECHNIQUES
PEINTURE
DESSIN
PHOTO
ARTS GRAPHIQUES
CINÉMA-VIDÉO

La photo aérienne

La maîtrise des airs alliée à la photographie permet aux scientifiques, aux militaires et aux cartographes de disposer d'un précieux moyen d'investigation : la photographie aérienne.

Technique

Les appareils de prise de vue, placés dans des trappes sous l'avion, photographient en continu. La vitesse de dévidement du film est calculée automatiquement selon la vitesse de l'avion. On photographie à l'aide de trois appareils : un appareil à la verticale et deux autres inclinés de 8°.

La hauteur du soleil : elle doit être d'au moins 30° (les ombres sont moins gênantes).

La couverture nuageuse doit être inférieure à 10 % pour que les couleurs ne soient pas trop dénaturées.

Le couvert forestier peu dense du printemps est favorable à une vision précise du sol, et les vents plus faibles provoquent moins de vibrations.

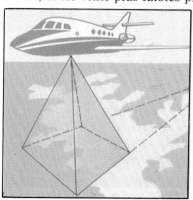

Développement

Les couleurs sont généralement différentes de celles de la réalité, en effet les films sont sensibles au rouge et à l'infrarouge et les filtres arrêtent les ultraviolets. Les feuillages sont bruns, roses, pourpres. Un feuillage vivant, un feuillage coupé, un camouflage peint apparaissent de couleurs différentes : le premier rougeâtre, les deux autres bleus.

Utilisations de la photo aérienne

Réalisation de cartes : les géographes ont recours à la photo aérienne pour dresser les cartes des régions d'accès difficile.

Surveillance militaire : les satellites espions permettent de faire des inventaires et des dénombrements complets des forces adverses.

Recherche scientifique : les biogéographes, le Service des eaux et forêts, la recherche agronomique ont recours aux photos aériennes pour les études des sols et de la végétation. L'archéologie, la météorologie, l'astronomie, la géologie, l'hydrographie et bien d'autres sciences travaillent également à partir des informations des photographies aériennes prises par les satellites.

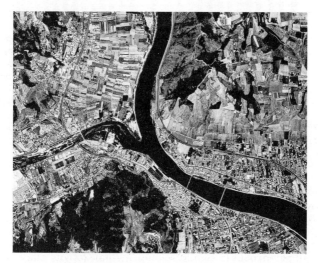

Tournon (Ardèche) : vue aérienne verticale

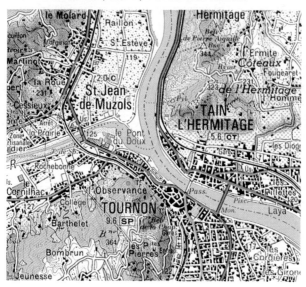

Extrait de la carte IGN au 1/50 000, feuille Tournon.

La photo aérienne et l'extrait de carte représentent la même région. La photo aérienne verticale indique parfaitement l'organisation de la zone. Plus rien n'est masqué, mais on ne se rend pas compte du relief. Tout est écrasé.
La carte IGN reprend, à une échelle différente ici, la photo aérienne verticale. Elle aide à la lecture par des indications qui viennent identifier des formes (ex. piscine, collège, gare, ...).

TECHNIQUES
PEINTURE
DESSIN
PHOTO
ARTS GRAPHIQUES
CINÉMA-VIDÉO

Orienter l'image

La photographie renforce l'impression de réalité. Le lecteur croit d'autant plus à l'authenticité d'un événement que celui-ci a pu être enregistré sur une pellicule photographique, et que le cliché apparaît immédiatement lisible. Toutefois une même photographie peut prendre une signification différente en fonction, de son cadrage, des images qui éventuellement l'environnent et plus particulièrement de la légende qui l'accompagne.

Le cadrage modifie la signification

Imposer une lecture dominante en éliminant des éléments parasites : le recadrage permet d'orienter rapidement l'œil vers un point fort de l'image. L'instantané qui enregistre une situation intense (accomplissement d'un exploit sportif, attitude inattendue et comique, scène de violence) peut comporter des éléments qui perturbent la signification principale (objets placés malencontreusement dans le champ, regards portés vers des points divergents, éléments ambigus). Un cadrage plus serré permet de supprimer les perturbations de l'attention et d'augmenter la lisibilité et l'intensité dramatique.

Montrer ou supprimer le contexte

Ce choix peut orienter l'intérêt, la photographie d'un nouveau président de la République peut être un plan large laissant apercevoir le lieu d'exercice des fonctions, ou une photographie plein cadre décontextuée : toutes deux auront un rôle d'attestation mais la première valorisera la fonction et la seconde la personne. Si le choix se porte sur un cadrage en gros plan, ce seront la personnalité, le caractère qui prédomineront.

La suppression de certains éléments de l'image peut conduire à une véritable inversion du sens : la photographie d'un homme athlétique poursuivi par un individu braquant un revolver peut passer pour l'arrivée d'une course si un élément déterminant de l'image (le poursuivant armé) a été supprimé.
Une photographie prise par le photographe Matthews Naythons en 1978, lors d'une crémation de corps de combattants adverses effectuée par mesure d'hygiène à l'initiative de la Croix-Rouge, a été publiée par le *Figaro Magazine* en 1982. Sur le cliché original, on voyait les blouses blanches et le drapeau de la Croix-Rouge. Un cadrage serré limité au seul brasier a pu faire passer cette photo pour « preuve » d'atrocités mises au compte des Nicaraguayens. Le photographe a intenté au magazine un procès qu'il a gagné.

La présence d'une seconde image contamine l'image précédente

Cet effet, découvert au cinéma (effet Koulechov), permet de produire une nouvelle signification qui dépasse celle de chacune des images confrontées. Il y a une contamination de la signification d'une image par la signification d'une autre.

CES PETITS WEEK-ENDS QU'ON AIME.
Juste l'effort de partir pour trouver le calme et revenir en forme.

La contamination d'une image par une autre image. Cet effet inventé par le cinéaste Koulechov provoque une interprétation différente de l'image. Dans le premier montage la voiture est un agréable moyen de transport alors que dans le second cette même voiture devient un véhicule dangereux. Dans chaque cas, la légende fixe le sens suggéré par le montage.

fond fermé   fond ouvert

DÉPARTS TRAGIQUES.
Accidents et drames, la liste est déjà longue : un appel général à la prudence s'impose.

TECHNIQUES
PEINTURE
DESSIN
PHOTO
ARTS GRAPHIQUES
CINÉMA-VIDÉO

La légende de la photo

L'image seule peut susciter des associations d'idées différentes. C'est la légende qui réduit le nombre des connotations suggérées et impose la signification.

Fonctions principales

Elle peut avoir une fonction explicative une photo ne peut comporter, à elle seule, tous les éléments de l'information car ceux-ci sont en partie abstraits : noms des personnes et des lieux, dates, chiffres. C'est la légende qui complète l'information.

Elle peut orienter le lecteur dans l'interprétation du sujet. Lors d'événements survenus dans le midi viticole, une photographie montrant un car de police visé par un homme en tenue de camouflage a pu être accompagnée de la légende « Il faudra que nous prenions les fusils pour que Paris comprenne » (*Libération*) ou encore « Des terroristes tirent et blessent un officier de CRS » (*Le Parisien libéré*). Dans aucun des cas il n'y avait falsification, mais interprétation opposée de l'événement.

Elle peut falsifier en détournant abusivement l'image. Une photographie prise par le photographe Doisneau avec le consentement des personnes a d'abord été publiée sans légende, puis diffusée par des agences et publications diverses. La photographie, qui représentait une jeune fille s'entretenant au comptoir d'un café avec un professeur de dessin, a été publiée après d'autres avatars dans une revue à scandales avec la légende « Prostitution aux Champs-Élysées ».

Importance de la nuance et du choix particulier des termes employés

ANALYSE DE LA LÉGENDE ACCOMPAGNANT LA PHOTO AP.					
	L'exploit	La persistance	La signification	La relativisation	L'épilogue
Le Figaro 6.6.89	A lui tout seul, cet homme a arrêté une colonne de chars	A chaque fois ... l'homme se remettait en travers		Pendant plusieurs minutes	Non formulé (victoire implicite possible)
Le Quotidien 6.6.89	Cet homme seul a réussi à arrêter ... chars	Jusqu'à ce que les passants finissent par le convaincre	Sa révolte et son indignation	Provisoirement par le convaincre de partir	Et les tanks ont repris leur route de mort
Le Parisien 6.6.89	Les Pékinois n'ont pas cessé de défier ... chars	... l'homme qui n'avait pas bougé d'un pouce	La menace de la guerre civile gronde		Le tankiste a stoppé son monstre d'acier
Libération 6.6.89	Près de la place Tien An Men, un homme a bloqué ...rue				Les occupants des blindés ont refusé le dialogue sans tirer pour autant

image à examen

Des légendes explicatives de photographies identiques peuvent, par le choix des termes, provoquer une interprétation plus ou moins optimiste ou pessimiste d'un événement.

A lui tout seul, cet homme a arrêté une colonne de chars pendant plusieurs minutes près de la place Tien An Men. A chaque fois que les chars tentaient de le contourner, l'homme se remettait en travers. (Photo AP.)

Le Figaro, 6.6.89

Cet homme seul a réussi hier à arrêter — provisoirement — une colonne de chars. Debout, face aux tanks, il criait hier matin sa révolte et son indignation : jusqu'à ce que des passants finissent par le convaincre de partir. Et les tanks ont repris leur route de mort.

Le Quotidien, 6.6.89

Malgré les massacres de dimanche qui auraient fait trois mille morts, les Pékinois n'ont pas cessé hier de défier l'armée, allant jusqu'à bloquer l'avancée des chars comme cet homme qui s'est jeté à la rencontre de la colonne de chars qui avançait dans l'avenue. Le tankiste a stoppé son monstre d'acier à un mètre de l'homme qui n'avait pas bougé d'un pouce... Mais la menace de la guerre civile gronde avec les rumeurs d'affrontements entre militaires dans les faubourgs de la capitale et les manifestations de colère dans les plus grandes villes de province.

Le Parisien libéré, 6.6.89

Près de la place Tien An Men, un homme a bloqué hier une colonne de six chars en se campant au milieu de la rue. Les occupants des blindés ont refusé le dialogue, sans tirer pour autant.

Libération, 6.6.89

TECHNIQUES
PEINTURE
DESSIN
PHOTO
ARTS GRAPHIQUES
CINÉMA-VIDÉO

Truquer, influencer, falsifier

Au début du XXe siècle existaient de nombreux ateliers de retouchage dont le but était l'embellissement photographique. Cet usage s'est transféré à la photographie officielle jusqu'à devenir systématique sous les régimes totalitaires.

Les intentions

Forcer l'interprétation : on ajoute un élément qui permet de forcer le sens et de transformer l'interprétation d'une scène (exemple : arme, pour suggérer l'agression), on rassemble des personnages issus de photographies différentes.

Éliminer : un des cas les plus fréquents de falsification consiste à supprimer d'une photo un personnage considéré comme dangereux ou même à nier l'existence d'un individu emprisonné ou clandestinement exécuté.

Quand un gouvernement contrôle l'information, il dispose de moyens perfectionnés pour parvenir à cette fin : aux changements politiques correspondent des disparitions photographiques.

Les procédés

La retouche : consiste à éliminer à la gouache les défauts dus aux grains de poussière et aux imperfections de la pellicule. On dessine la zone concernée en essayant d'imiter le grain de la photographie. Le retoucheur procède point par point à l'aide d'un pinceau et d'une encre spéciale. La retouche ne concerne alors qu'un exemplaire : le positif.

Le détourage : s'effectue en laboratoire et consiste à isoler l'image en retirant le fond. Si l'on dispose de la gouache opaque sur un négatif tout autour du personnage que l'on veut isoler, on obtient ensuite un positif qui fait paraître le personnage sur fond blanc. On peut aussi utiliser une copie par contact du négatif. Cette copie, appelée contretype, est retravaillée en tirage dur (très contrasté) et permet d'éliminer chimiquement une partie du sujet.

Le découpage : l'assemblage d'éléments empruntés à des photographies différentes relève de la technique du photomontage.

Dans certains cas, le photomontage cherche à restituer l'illusion photographique : on effectue un tirage de l'élément qui doit être rapporté, on gratte le papier pour l'émincer jusqu'à ce que ne subsiste que la gélatine de la photo, on colle cet élément sur une autre photographie, on retouche les bords pour cocher l'assemblage et on rephotographie l'ensemble.

Ce type de photomontage a été utilisé à des fins de propagande politique (exemple : photo de.la période mussolinienne réunissant défilés de troupes au sol, avions dans le ciel et ruines romaines).

Le recadrage : à partir d'une image qui comporte plusieurs éléments informatifs, on effectue un nouveau cadrage qui isole un élément et élimine le reste. Le recadrage peut transformer le sens d'une photographie. Il fait partie des techniques d'influence, et ne constitue une escroquerie que dans certains cas précis et en fonction de la légende qui oriente définitivement la signification.

fond fermé

La disparition photographique. Jalousie du Führer ? Goebbels a disparu dans les feuillages. Très liée à Hitler, Leni Riefenstahl, présente sur la photo, passa pour avoir été la maîtresse de Goebbels.

Procédé : découpage d'un masque épousant la forme du personnage à supprimer, puis tirage permettant d'obtenir une découpe blanche à la place du personnage et retouche point par point des arbres et des feuilles.

TECHNIQUES

PEINTURE

DESSIN

PHOTO

ARTS GRAPHIQUES

CINÉMA-VIDÉO

Le roman-photo

Apparu en Italie après la Seconde Guerre mondiale, le roman-photo est une forme particulière de récit constitué d'une suite de photographies accompagnées de dialogues succincts et de commentaires.

La réalisation du synopsis

Le synopsis fixe la structure du récit (situation de départ, bouleversements, conséquences, péripéties, situations finales). Il envisage l'importance relative des différentes étapes de l'histoire et localise les événements. Contraintes : choix de lieux accessibles ne nécessitant pas de déplacements excessifs, nombre de personnages limité, préférence accordée aux scènes en extérieur si l'on craint d'être confronté aux problèmes d'éclairage.

La réalisation du scénario et du découpage

Il s'agit de découper l'histoire en une série de scènes où sont précisés le décor, le moment (jour/nuit), les conditions météorologiques (pluie/soleil). On note le nom des personnages présents, leurs relations dans l'espace et les dialogues échangés.

La réalisation des clichés

Pour chaque image prévue, on effectue plusieurs clichés du même angle de prise de vue en jouant sur les variations d'attitudes et sur la diversité de l'échelle des plans. Cette démarche offre plusieurs avantages : on choisit parmi les clichés réalisés celui qui est le plus conforme à l'intention du scénario ; on garde la possibilité d'allonger ultérieurement le récit en répartissant les dialogues sur des images voisines. On peut, si la nécessité s'en fait sentir, rompre la monotonie et ajouter une nuance expressive en diversifiant les plans.

Le maquettage

Le maquettage (format et disposition des photos dans la page) peut être globalement prévu dès l'écriture du scénario. La norme est généralement de 5 à 6 photographies par page. Les variations s'effectuent rarement en deçà de 4 et au-delà de 8. On réalise concrètement la maquette après la phase de prise de vue. Les formats rectangulaires sont disposés horizontalement et parfois verticalement dans la page, en fonction de choix esthétiques et expressifs. On peut renforcer l'intensité dramatique d'une photographie en la dotant d'un format supérieur au format standard, ou privilégier une image qui apparaît particulièrement réussie.

Présentation des acteurs principaux.

Évocation d'un générique de film.

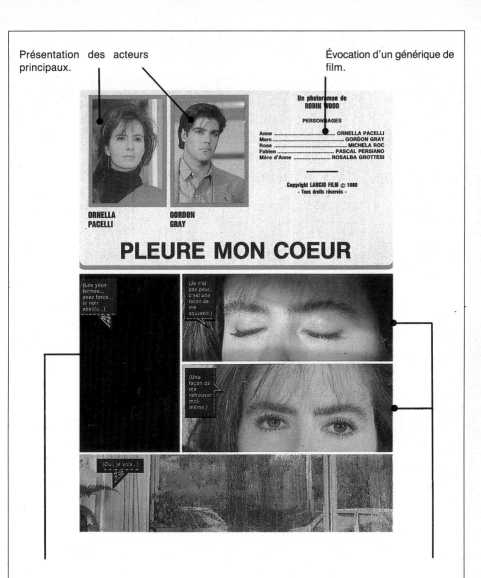

Photo 1
Effet cinématographique «d'ouverture au noir» : l'effet surprend mais il est justifié de façon réaliste, dès la seconde photo l'héroïne ferme les yeux.

Effet de montage cinématographique : «raccord regard» entre la photo 3 et la photo 4, le lecteur est guidé dans son interprétation; le monologue intérieur («Oui, je vois») indique sans équivoque que la dernière photographie correspond à ce que découvre le personnage.

Photo 2 et photo 3
Inserts cinématographiques (très gros plans) : fonction expressive et émotive.

TECHNIQUES
PEINTURE
DESSIN
PHOTO
ARTS GRAPHIQUES
CINÉMA-VIDÉO

Les arts graphiques

Les arts graphiques englobent l'ensemble des techniques utilisées pour transmettre un message en signes ou en images. Ils interviennent dans des domaines de plus en plus vastes, de la pochette de disque à l'étiquette, en passant par le logo.

Les origines et l'évolution

Période	Techniques et caractéristiques	Utilisé pour	Artistes ou mouvement représentatif
XVᵉ s. - début du XIXᵉ s.	Imprimerie (typographie, illustration, gravure).	Mettre en valeur le texte, créer un équilibre entre typographie, illustrations et blancs.	Geoffroy Tory (1480-1533)
Fin XIXᵉ	Typographie, dessin, gravure. Style influencé par la gravure japonaise, marqué par l'ornement floral, les courbes.	Affiches culturelle et publicitaire, livre. Fabrication et ornementation des objets d'art depuis les meubles jusqu'aux vases.	William Morris (1834-1896) **L'Art nouveau :** Alfons Mucha (1860-1939)
Début XXᵉ	Apport de la photographie, du photogramme (photo faite sans appareil à partir d'objets posés sur la plaque photo et dont les contours s'inscrivent sur le papier sensible), le collage.	Affiche publicitaire, affiche politique (dans un but de provocation ou de critique). Illustration de livres.	**Dada :** Max Ernst (1891-1976) John Heartfield (1891) **Le Constructivisme :** (URSS) : El. Lissitzki (1890-1941) Rodtchenko (1891-1956)
1920-1930	Typographie, photomontage. Style sobre et utilitaire commun à tout support (livres, affiches, etc.).	Intégrer l'art, trouver les formes les plus satisfaisantes, à la fois sur le plan esthétique et sur le plan fonctionnel.	**Le Bauhaus :** fondé en 1919 en Allemagne par Walter Gropius (1883-1969).

Les techniques actuelles

L'apport de procédés récents ouvre aux arts graphiques de nouveaux domaines de communication : communication d'entreprise (logotype), emballage, présentation de projets publicitaires...

L'aérographe : instrument projetant des couleurs liquides grâce à de l'air comprimé passant à travers un tube. Il est utilisé pour les retouches photographiques (accentuer des contrastes, renforcer les détails...), la fabrication de maquettes, l'illustration hyperréaliste (publicité, disques, livres, etc.).

Le « rendering » : on utilise ce procédé pour présenter un produit sous son aspect le plus séduisant avant de le mettre en vente. On dessine le modèle puis on place des pochoirs aux endroits voulus. On applique alors un mélange de pastel et de dissolvant qui se répartit sur le papier et donne des effets dégradés. On dessine enfin les ombres au marqueur sur le verso de la feuille.

Le pastel : crayonné légèrement, sa couleur et son dessin rappellent la légèreté du produit. C'est sur ce fond que l'on a collé les autres éléments.

La typographie : chaque caractère employé suggère le mot. La position centrale facilite la lecture.

Le logo : il allie la typographie et le graphisme du damier. Il utilise le rouge qui est l'une des couleurs qui se repère le plus rapidement.

La calligraphie : comme une note griffonnée par une utilisatrice, elle confirme la qualité du produit.

La photographie : elle met en scène le produit. Elle sert de preuve.

L'alliance de différents procédés graphiques (dégradés de tons pastels, typographie dynamique, photographie réaliste) permet de dynamiser un produit traditionnel en le mettant en valeur dans un univers attractif.

TECHNIQUES

PEINTURE

DESSIN

PHOTO

ARTS GRAPHIQUES

CINÉMA-VIDÉO

La typographie

La typographie désigne l'art de créer des caractères d'imprimerie et de les assembler pour former un texte. Née avec les débuts du livre, elle évolue avec les techniques d'impression.

Les caractères d'imprimerie

Le choix du caractère

— Considérations esthétiques : le caractère doit s'accorder avec le texte qu'il composera. Une publicité pour un parfum ne peut utiliser des lettres trop lourdes.

— Considérations techniques : le dessin des lettres s'adapte aux procédés de reproduction. Le support de l'impression joue aussi sur le choix du caractère.

Les sortes de caractères

— Les figures : les capitales (majuscules) sont utilisées pour mettre le mot en valeur. On les emploie souvent pour composer les titres. Les bas de casse (minuscules) sont appelées ainsi car elles étaient rangées dans le bas des casses (caisses) de caractères. Elles servent à composer le corps des textes.

— L'inclinaison : les caractères romains sont droits, verticaux. Les italiques sont des caractères inclinés vers la droite.

— Les graisses et les chasses :

Chasse Graisse	très étroit	étroit	normal	large
extra-maigre	Univers	Univers	Univers	Univers
maigre	Univers	Univers	Univers	Univers
demi-gras	Univers	Univers	Univers	Univers
gras	**Univers**	**Univers**	**Univers**	**Univers**
extra-gras	**Univers**	**Univers**	**Univers**	**Univers**

Certaines familles de caractères comportent une graisse appelée *supernoir*.

La mise en page

Les blancs

— Les espaces entre les lettres et les mots : ils sont plus ou moins larges et sont choisis de manière à éviter trop de coupures de mots en fin de ligne.

— Les interlignes sont les blancs laissés entre les lignes. Ils peuvent modifier l'aspect du texte en le rendant plus ou moins compact.

La justification

C'est la longueur que l'on décide de donner à toutes les lignes d'un texte.

ABCD
Bembo

Les garaldes sont des lettres élégantes et très lisibles. Les pleins et les déliés sont assez peu contrastés.

ABCD
Baskerville

Les réales ont des empattements discrets. Elles sont un peu plus étroites que les garaldes mais plus rondes que les didones.

ABCDE
Bodoni

Les didones ont des empattements rectilignes qui accentuent leur verticalité. Les contrastes entre les pleins et les déliés soulignent cet aspect vertical.

ABCD
Rockwell

Les mécanes ont des empattements aussi gras que leurs verticales et leurs obliques. On les appelle aussi égyptiennes.

ABCD
Carousel

Les normandes sont des lettres extra-grasses. Leurs déliés sont très fins.

ABCDE
Helvética

Les linéales sont des lettres sans empattements. Très répandues dans la presse et l'édition pour leur bonne lisibilité.

Les familles de caractères

Les garaldes sont des lettres inspirées par les caractères classiques de la Renaissance. Aux XVIIᵉ et XVIIIᵉ siècles apparaissent les réales. Les didones, mises au point par Didot en France et Bodoni en Italie, ont été à la mode à la fin du XVIIIᵉ siècle. Lettres du XIXᵉ siècle, les mécanes, après avoir eu un certain succès dans la presse, sont tombées en désuétude aujourd'hui. Il en est allé de même pour les normandes. Les linéales, très en vogue depuis le milieu du siècle, sont dérivées des recherches du Bauhaus en Allemagne.

| TECHNIQUES |
| PEINTURE |
| DESSIN |
| PHOTO |
| **ARTS GRAPHIQUES** |
| CINÉMA-VIDÉO |

Le collage

> *Le collage et le photomontage sont formés d'éléments graphiques divers, découpés et assemblés selon un nouvel ordre. Ils suscitent des rapports inattendus, amusants et parodiques.*

Les intentions

Une démarche esthétique : une nouvelle image est composée par l'assemblage de fragments de figures déchirées ou découpées (dessins, gravures, coupures de catalogues, papiers de couleurs, etc.).

Un effet de surprise : on mêle à la peinture des éléments qui lui sont étrangers, papiers divers, imprimés, tissus, etc. Ce qui compte, c'est l'objet usuel qui est placé dans la composition, le déplacement que l'auteur lui fait subir.

Donner une autre signification : les éléments assemblés sont détournés de leur contexte ; une fois composés ils engendrent une nouvelle signification.

Transformer notre manière de voir : les éléments sont organisés pour nous montrer de nouvelles combinaisons entre eux, pour révéler « l'envers du décor ».

Les procédés

La transformation : on découpe dans une image un détail que l'on surimpose et colle sur la figure d'origine qu'on avait choisi de modifier. On peut ainsi créer un être hybride mi-homme, mi-animal.

Le déplacement : on renverse le document initial qui sert de décor pour la construction du collage puis on ajoute des figures qui vont achever de le transformer.

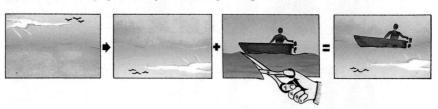

La répétition : on redouble une figure dans l'image en lui accolant sa réplique exacte préalablement découpée dans un document identique. On peut ainsi donner à un personnage son reflet, son double ou même le représenter monstrueusement avec deux têtes semblables.

L'association et le rapprochement : on assemble des éléments et l'ensemble provoque un nouveau sens jouant sur la surprise.
Exemple : pour représenter la « machinerie humaine » on peut rendre l'image d'un homme qui a dans le cerveau des machines, des engrenages.

La couleur : par l'adjonction d'une couleur vive on rehausse un fragment important dans la mise en scène.
On procède au moyen de feutres, de crayons de couleur, de peintures diluées qu'on applique sur la partie de l'image qu'on désire mettre en couleur.
Exemple : visage rose et costume vert d'un chef d'État.

fond semi-fermé

Collage de Jacques PRÉVERT.

L'intention : la féerie.

Le procédé : découpage de gravures et collage des différents éléments sur une page de magazine représentant une fenêtre s'ouvrant sur un parc boisé.

L'association et le rapprochement : sur une image de départ destinée à servir de décor apparaît la figure inattendue d'un personnage en train d'écrire sur lequel a été greffée la tête d'un cerf. Ces différents éléments mis en rapport créent un être mi-animal mi-homme et donnent à l'image un côté féerique.

TECHNIQUES
PEINTURE
DESSIN
PHOTO
ARTS GRAPHIQUES
CINÉMA-VIDÉO

Le logo

> *Le logotype est un signe qui symbolise une entreprise ou un service. Il forme un dessin unique qu'on appelle aussi monogramme.*

La recherche préalable

Avant de créer le logotype d'une entreprise, le concepteur mène une enquête.

Spécialité de l'entreprise : il inscrit les caractéristiques de l'entreprise en tenant compte des produits fabriqués ou des services vendus.

Image vécue dans l'entreprise : il établit l'image que se font les salariés de leur entreprise. (Pour faciliter les réponses, il procède au jeu du portrait chinois.)

Image de l'entreprise telle qu'elle est vue par le public : il procède à une enquête. Le jeu du portrait chinois est appliqué. Il demande de compléter les affirmations :

— si l'entreprise était un animal, ce serait... ;

— si l'entreprise était un minéral, un végétal, une forme géométrique, une odeur, une saveur, une musique, une couleur,... ce serait...

À partir des images dominantes qui sortent de ces consultations, le concepteur travaille à la recherche du logotype.

Les lettres et la couleur

La forme des lettres donne une image de l'entreprise. Les lettres du logo sont dessinées par un graphiste. Il choisit une typographie sobre.

La couleur sert à attirer le regard sur le logo. On choisit les couleurs qui contrastent fortement avec le fond sur lequel elles figureront.

La symbolique des couleurs est associée à l'image de l'entreprise :

— le bleu évoque la fraîcheur. Il est symbole de jeunesse, de pureté, de noblesse ;

— le vert, symbole d'espérance, évoque aussi la force et la longévité ;

— le jaune, couleur de la lumière et de la vie, est symbole d'éternité ;

— l'orange symbolise l'équilibre entre esprit et désir de s'accomplir ;

— le rouge, couleur de feu, symbole de la colère, entraîne et encourage ;

— le blanc symbolise la pureté et l'innocence.

Les symboles

Le détail : un dessin symbolique peut être choisi pour son rapport avec l'activité de l'entreprise. Le trident du Club Méditerranée est le sceptre de Neptune, dieu des mers. Le symbole vient parfois des figures des blasons.

L'animal : c'est la valeur symbolique de l'animal qui vient se superposer à l'image de l'entreprise. Le génie et l'esprit supérieur de l'aigle se fondent dans la marque de chaussures de caoutchouc l'Aigle.

Le végétal : son symbolisme est également associé aux entreprises ; fleurs (attributs de jeunesse et du printemps), feuilles (symbole de bonheur et de prospérité : le trèfle à quatre feuilles d'Alfa Roméo), fruits (la pomme d'Apple)...

Les figures géométriques : ces formes défendent soit les valeurs de l'entreprise, soit ses activités principales. Les chevrons de Citroën représentent le secret découvert par la firme pour la taille d'engrenages.

Deux cornues stylisées symbolisent la recherche scientifique (cause/effet).

Effet de chiasme : la partie renflée de la cornue bleue est en haut, celle de la cornue verte en bas. Au contraire, dans le rectangle, le vert est en haut et le bleu en bas.

Le nom du groupe, SANOFI, évoque la santé (SANO) et la finance (FI). Trois grands secteurs d'activité : pharmacie, bio-industries, parfums et produits de beauté.

Le bleu est la couleur de LABAZ (laboratoire belge d'azote) acheté par le consortium, le vert celle d'Yves Rocher (prise de participation).

Le rapport entre la longueur du grand rectangle et celle du rectangle SANOFI est de 1,618 : c'est le fameux nombre d'or.

TECHNIQUES
PEINTURE
DESSIN
PHOTO
ARTS GRAPHIQUES
CINÉMA-VIDÉO

L'étiquette

L'étiquette est un mode d'expression visuelle qui consiste à doter un produit d'une identité.

L'intention

Donner au produit une identité visuelle pour qu'il soit facilement repérable dans les rayonnages. Provoquer ainsi chez le consommateur un réflexe de reconnaissance, d'identification de la marque par rapport aux concurrents. Donner les informations nécessaires sur le produit pour convaincre le client de l'acheter.

L'illustration

Elle a une fonction d'information. Elle peut dans certains cas être une incitation à l'achat. La photographie permet de jouer sur les qualités propres au produit (la saveur par exemple). Le dessin permet de privilégier l'imaginaire.

Le produit est mis en situation : il apparaît au premier plan et on visualise ainsi immédiatement sa composition.

Le produit est mis en scène : il renvoie à l'ambiance liée à sa consommation ou à sa production (un voilier, des palmiers évoqueront par exemple l'exotisme).

Le produit est simplifié, stylisé : l'utilisation d'un symbole permet d'associer l'image du produit à une qualité. Par exemple, l'image d'un arbre pour un produit laitier permet d'associer l'image du lait à celle de la nature. Utilisation d'un pictogramme : on représente de façon simplifiée un produit. On voit et on reconnaît ainsi le type de produit au premier coup d'œil.

Le produit fini n'est pas représenté : on montre les éléments qui entrent dans sa composition. Exemple : des fruits pour représenter une boisson fruitée.

La typographie

Elle a une fonction esthétique. Elle donne une certaine image du produit et suggère ce qu'il implique grâce au rapport qui existe entre le graphisme et son sens. Exemples : une calligraphie orientale évoque le dépaysement et signifie l'exotisme du produit. Les lettres manuscrites renvoient à la tradition et donnent une note de saveur touchant au terroir, aux produits naturels.

La couleur

Elle attire le regard et joue sur des valeurs connues. Mise en aplat (c'est le fond de l'étiquette) elle renforce le sens de l'illustration. Elle obéit à un certain code :
— le noir : il virilise l'image, il accentue l'image haut de gamme du produit ;
— le vert, le bleu pastel : ils communiquent la légèreté ou la fraîcheur du produit ;
— les couleurs vives : elles évoquent le dynamisme et la jeunesse.

Elle informe et permet d'identifier un produit parmi une gamme de produits de la même marque : le fond change de couleur selon les produits, une bande au bas de l'étiquette ou un encadrement de couleur différente est adopté pour distinguer chaque gamme de produits.

Bifocalité

L'analyse d'une étiquette de vin

Les informations objectives :
une gravure représente un château du XVIIIᵉ siècle et évoque son parç.
Les quatre chevaux devant le château et la tête du cheval dans le logo se réfèrent au haras de la Dame Blanche.

Les informations facultatives :
La présence des chevaux montre l'importance qu'attache le propriétaire à son haras.

Tout ce qui facilite la perception du message :
— l'utilisation des couleurs ;
— les règles de composition et d'équilibrage des différents éléments.

La fonction poétique :
— le format allongé de l'image (valeur descriptive) ;
— la ligne qui sépare château et pelouse coïncide avec le nombre d'or (φ) pris du bas de l'étiquette ;
— la disposition du logo sur une diagonale du carré reporté ;
— l'utilisation des 2 verticales obtenues par le report du carré pour délimiter les bâtiments, et 2 mentions (A.O.C. et propriété).

| TECHNIQUES |
| PEINTURE |
| DESSIN |
| PHOTO |
| **ARTS GRAPHIQUES** |
| CINÉMA-VIDÉO |

La couverture de livre

La couverture a d'abord une fonction d'accroche visuelle. Puis elle transmet certaines informations sur le contenu du livre grâce au titre, à l'illustration et au texte. Elle doit inciter le lecteur à acheter le livre.

La première page de couverture

L'illustration :
elle peut soit illustrer le récit soit suggérer une ambiance. Lorsqu'elle illustre, elle montre un événement du récit ou le personnage principal de l'intrigue. On peut ainsi relever grâce à certains indices (vêtements, attitude, accessoires...) l'identité du personnage, son rôle dans le roman.
Lorsqu'elle suggère un climat, elle utilise une couleur (par exemple le noir et le blanc pour un roman policier), un détail qui évoque l'atmosphère du livre.

Le texte de la couverture :
le titre peut évoquer le contenu du livre de manière concrète (titre informatif) ou plus imagée par une formulation qui séduit le lecteur et n'a pas de rapport direct avec le contenu (titre accrocheur).
Le titre informatif peut désigner le genre du texte (*Mémoires*...), donner des indications sur le héros (nom, prénom, qualité : *Todd Marvel, détective milliardaire* de Gustave Le Rouge), désigner l'action principale (*Bourlinguer* de Blaise Cendrars), désigner le lieu de l'action (*La Maison Tellier* de Guy de Maupassant), désigner le thème du livre (*L'Éducation sentimentale* de Gustave Flaubert).
Le titre accrocheur se construit en détournant une formule connue ou en faisant des jeux de mots.

La quatrième de couverture

Lorsqu'on retourne le livre, on trouve des informations relatives au titre, à l'auteur, à l'éditeur. À ces informations vient s'ajouter un texte de présentation de l'ouvrage.
On peut procéder de différentes façons selon l'information qu'on veut transmettre :
— reprendre un extrait du livre présentant les principaux personnages ou révélant l'atmosphère de l'intrigue. Cet extrait peut aussi permettre d'apprécier le style de l'écrivain ;
— résumer le récit : on dresse le portrait du héros en quelques lignes ou on le laisse s'exprimer pour mieux en faire saisir la personnalité ; on présente le(s) lieu(x) de l'action et on retient quelques faits ;
— présenter le récit de façon logique : on révèle ce qui a provoqué les faits, qui intervient, les conséquences, etc. ;
— analyser l'œuvre et le style de l'écrivain.

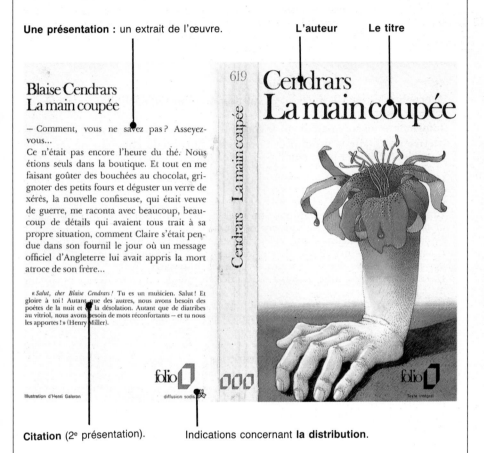

La 4ᵉ de couverture

La 1ʳᵉ de couverture

Une présentation : un extrait de l'œuvre.

L'auteur   **Le titre**

Blaise Cendrars
La main coupée

619 Cendrars
La main coupée

— Comment, vous ne savez pas ? Asseyez-vous...
Ce n'était pas encore l'heure du thé. Nous étions seuls dans la boutique. Et tout en me faisant goûter des bouchées au chocolat, grignoter des petits fours et déguster un verre de xérès, la nouvelle confiseuse, qui était veuve de guerre, me raconta avec beaucoup, beaucoup de détails qui avaient tous trait à sa propre situation, comment Claire s'était pendue dans son fournil le jour où un message officiel d'Angleterre lui avait appris la mort atroce de son frère...

« *Salut, cher Blaise Cendrars !* Tu es un musicien. Salut ! Et gloire à toi ! Autant que des autres, nous avons besoin des poètes de la nuit et de la désolation. Autant que de diatribes au vitriol, nous avons besoin de mots réconfortants — et tu nous les apportes ! » (Henry Miller).

folio

000

folio

Illustration d'Henri Galeron

diffusion sodis

Texte intégral

Citation (2ᵉ présentation).

Indications concernant **la distribution**.

La première de couverture est une illustration dont le thème s'inspire du titre de l'ouvrage : *La Main coupée* de Blaise Cendrars.

L'image a une importante fonction d'accroche qui joue sur la métamorphose monstrueuse du bras sectionné en une fleur sanglante. Ce dessin est l'illustration d'un des chapitres du roman : « Le Lys rouge ».

L'extrait de l'œuvre figurant sur la 4ᵉ de couverture nous renseigne en partie sur l'époque de l'action du roman. L'adresse d'Henry Miller à Blaise Cendrars en laisse deviner l'atmosphère.

TECHNIQUES

PEINTURE

DESSIN

PHOTO

ARTS GRAPHIQUES

CINÉMA-VIDÉO

La pochette de disque

À l'origine simple protection, la pochette de disque est devenue un emballage accrocheur par lequel débute la découverte du disque.

Son intention

Accrocher le regard du client et susciter son intérêt, par l'illustration, la couleur, le matériau utilisé.

Informer le consommateur sur le contenu : interprète(s), titres, style musical, etc.

Mettre en valeur le produit et l'image de marque du chanteur ou du groupe par l'aspect visuel basé sur l'association image-typographie.

Affirmer un style

Chaque type de musique impose un style de pochette qui développe des thèmes et des références liés à l'univers musical.

Exemple : dans la musique rock, la période *punk* a privilégié les pochettes d'aspect « sale » aux illustrations semblables à des photocopies, et aux lettrages pareils à des signes découpés dans les journaux.

Dans le même domaine, le *hard-rock* a développé des images liées à la violence, au satanisme.

Le style de la pochette permet à l'acheteur d'identifier plus rapidement le produit et de lui accorder sa confiance s'il juge l'image conforme à ses goûts.

Illustrer la musique

La mise en scène : on représente l'interprète ou les musiciens, placés dans un milieu qui évoque l'univers qui leur est propre. La mise en scène permet de se faire une idée immédiate du genre de musique proposé.

Les références culturelles : on utilise la représentation d'un tableau, d'une photographie, d'une gravure dont l'atmosphère est proche de celle du disque.

La parodie : on détourne des références culturelles par le biais du collage, du photomontage. C'est un procédé qui permet d'intriguer et d'amuser et qui peut aussi évoquer la démarche des musiciens (subversion ; humour...).

L'abstraction : on représente visuellement la musique sans références explicites à l'artiste. On utilise une couleur, des figures géométriques, la typographie pour mettre en valeur une ambiance ou une identité liée à la musique.

Le texte

Les informations obligatoires : le label ; le *copyright*, indiqué par un ©, c'est le droit de l'éditeur sur l'œuvre ; l'année de commercialisation ; le numéro du disque au catalogue.

Les informations facultatives : les titres des chansons ou instrumentaux ; informations complémentaires sur les interprètes ; les conditions de réalisation (dates et lieux d'enregistrement, le producteur) ; les textes et paroles ; les dédicaces et remerciements.

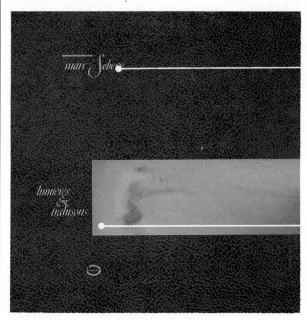

Le titre et **le nom du groupe :** utilisent une même calligraphie. Ils se détachent bien sur un fond bleu dont l'aspect granuleux évoque la couverture d'un livre précieux.

L'illustration : l'image d'une ballerine vaporeuse symbolise le thème commun à la plupart des titres (la lumière). Sa clarté contrastant avec le bleu de la pochette renvoie aussi à l'opposition affichée par le titre : *Lumières et Trahisons*.

L'illustration : elle a pour objet de permettre l'identification des membres du groupe.

Les informations facultatives : elles donnent les titres qui composent le disque.

Les informations obligatoires : elles indiquent les références de l'album au catalogue, le label, le *copyright* et l'année de sortie.

Marc SEBERG, *Lumières et Trahisons*. Virgin 70515. © 1987.

TECHNIQUES
PEINTURE
DESSIN
PHOTO
ARTS GRAPHIQUES
CINÉMA-VIDÉO

L'affiche

L'affiche illustrée est utilisée dans des domaines bien différents : politique, culture, etc. Dans tous les cas c'est un moyen de communication qui vise avant tout à séduire et à informer.

Les origines

En 1477, William Coxton réalise la première affiche (1,3 × 0,7 m), en caractères d'imprimerie, sur les cures de Salesbury. Jusqu'au début du XIXᵉ, les affiches sont de petit format, en noir et blanc, et l'illustration reste rare.

L'évolution de l'affiche

Période	Caractéristiques	Exemples
Début du XIXᵉ siècle	Affiche à caractère culturel, telle que l'affiche de librairie. Elle montre des spécimens de l'illustration du livre ou agrandit le frontispice.	*Le Diable boiteux* de Tony Johannot (1803-1852) *Œuvres complètes de Rabelais* de Gustave Doré (1832-1883)
Fin du XIXᵉ siècle (après 1875)	Affiche de spectacle et affiche publicitaire en couleurs. L'image de la femme est utilisée comme argument de vente.	*Le Théâtrophone* de Jules Chéret (1836-1932)
1890-1900	Affiche Art nouveau. Style privilégiant les aplats, les courbes. Omniprésence de la femme.	*La Dame aux camélias* d'Alfons Mucha (1860-1939)
Début du XXᵉ siècle	Conception moderne de l'affiche publicitaire. Personnage réduit à des formes simples et associé au nom d'une marque.	*Le Pierrot cracheur de feu* et *La ouate thermogène* (1909) par Leonardo Cappiello (1875-1942)
1914-1918	Affiche de propagande. Vise à soutenir l'effort de guerre, par la mise au point d'un répertoire de slogans.	*L'Oncle Sam*, le doigt tendu vers le passant pour le convaincre de s'engager dans l'armée américaine, par James M. Flagg
Entre-deux-guerres	Affiche s'inspirant des recherches du Bauhaus (Allemagne) et du Constructivisme (URSS). Elle exprime un maximum de lisibilité avec un minimum de moyens. Privilégie la typographie, la géométrie et le photomontage.	*L'Étoile du Nord* (1927) par Cassandre (1901-1968) *Saint Raphaël* (1937) par Charles Loupot (1892-1962) *Pneumatik* (1926) par Laszlo Moholy-Nagy (1895-1946)
Années 1950	Formes simplifiées et stylisées aux couleurs vives. Gags visuels dans les affiches publicitaires.	*La Vache Monsavon* de Raymond Savignac (1907-1989)

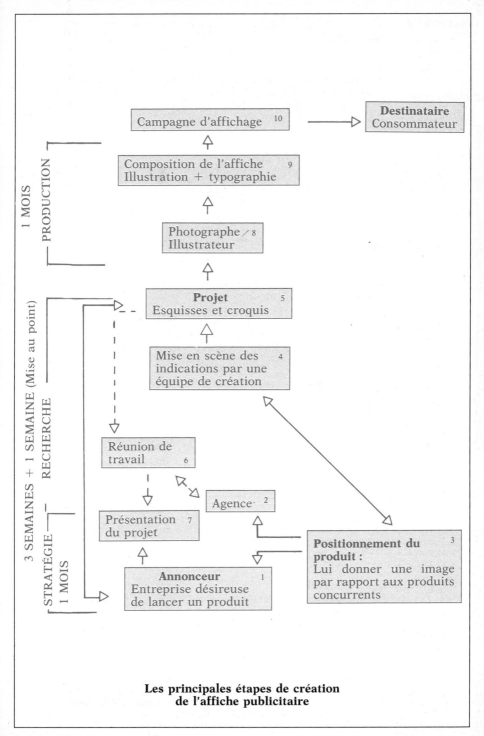

**Les principales étapes de création
de l'affiche publicitaire**

113

| TECHNIQUES |
| PEINTURE |
| DESSIN |
| PHOTO |
| **ARTS GRAPHIQUES** |
| CINÉMA-VIDÉO |

L'affiche publicitaire

L'affiche publicitaire doit susciter l'intérêt du lecteur (la cible). L'efficacité de son message repose sur le pouvoir de l'image combinée à d'autres éléments (titre, texte, slogan...).

La mise en scène

La mise en situation : on représente le produit dans un univers séduisant et prestigieux. Ce procédé est utilisé pour mettre en valeur les propriétés spécifiques du produit ou pour faire imaginer combien la vie sera facilitée par son usage.

L'exagération, l'hyperbole : on présente le produit dans un univers extraordinaire. On l'utilise pour magnifier les satisfactions promises.
Exemple : une boisson à consommer avec des glaçons est versée sur des icebergs.

La réserve : on présente le produit en majesté, dans un cadre caractérisé par son vide. La réserve permet de valoriser le produit en le montrant sans un seul commentaire, de marquer son exclusivité par rapport aux concurrents.
Exemple : représenter une automobile par son sigle.

L'écart par la référence inattendue : un élément visuel (une situation habituelle) ou verbal (un proverbe) bien connu du lecteur est détourné de son sens par une légère modification. Ce procédé crée un effet de surprise et facilite la mémorisation grâce à l'identification de la référence originale.
Exemple : pour promouvoir un canapé, on met en scène un patient à l'aise et un psychanalyste mal en point.

Le texte

Il explique, il prouve la promesse de la mise en scène. Il doit persuader en privilégiant un style dynamique.

Il utilise la comparaison qui établit un rapport entre ce dont on parle et quelque chose qui lui ressemblerait. Elle permet de transférer les qualités du second sur le premier. Il utilise aussi l'hyperbole qui exagère l'expression.

Il utilise différents types de phrases :
— phrases énonciatives pour juger, décrire, expliquer, raconter ;
— phrases interrogatives pour exprimer une hypothèse qu'on cherche à transformer en vérité en faisant appel à l'expérience du lecteur ;
— phrases exclamatives pour exprimer un sentiment, pour amener le lecteur à concevoir l'achat (emploi de l'impératif).

Le slogan

Il résume les principaux arguments publicitaires et attire l'attention. C'est une formule brève, facile à retenir, souvent située à côté de la signature. Il peut évoquer une caractéristique du produit auquel il se rapporte ou prendre à partie le lecteur (par apostrophe, impératif).

Le titre et la signature

Le titre attire rapidement le lecteur, accroche son intérêt, par l'écart, en disant le contraire de ce que le lecteur s'attend à voir, par l'hyperbole, l'exagération.

La signature rappelle le nom de la marque. Elle sert à identifier le produit. Elle est située en bas de page à droite (où on signe habituellement).

L'illustration :
elle met le produit en scène en le valorisant :
— par sa position centrale dans l'image ;
— par les contrastes de tons (noir et clair) qui opposent l'automobile aux autres véhicules.

L'accroche :
elle étonne le lecteur car elle paraît en contradiction avec l'image. Son effet est renforcé par le périmètre vide qui la sépare du texte.

— Enfin seul.

Au volant de mon Range Rover, j'ai toujours éprouvé l'enivrante sensation d'être différent des autres, de dominer et de maîtriser toutes les situations. En un mot, j'ai toujours soupçonné mon Range Rover de flatter mon sentiment de supériorité. Et avec lui, non seulement je vois plus loin, mais je suis vu de plus loin. Je l'avoue, cela me fait du bien. Range Rover, du Turbo Diesel 2,4 L au V8 Injection. Boîte manuelle ou automatique. Modèle TVA 18,6% récupérable. Modèle présenté : V8 Injection. Financement Universel.

MINITEL 36.15 ROVER

RANGE ROVER
pense Castrol.

Le texte :
il comble l'écart créé par l'accroche. Il traduit l'ensemble du message publicitaire : les qualités du produit et celles prêtées à son propriétaire sont les mêmes.

La signature :
elle rappelle le nom de la marque et le sigle qui apparaît sur la calandre de ses véhicules.

TECHNIQUES
PEINTURE
DESSIN
PHOTO
ARTS GRAPHIQUES
CINÉMA-VIDÉO

L'affiche politique

L'affiche est polémique. Elle répond à l'adversaire. Elle tente de se différencier des affiches adverses malgré des ressemblances. L'affiche électorale cherche à impliquer son lecteur.

L'implication de l'électeur

L'affiche électorale est destinée à mobiliser les adhérents et à trouver de nouveaux sympathisants. Ces personnes doivent se retrouver dans l'affiche.

L'image : le lecteur peut être impliqué par la présence d'une foule, d'un groupe symbolisant sa catégorie sociale ou professionnelle, sa tranche d'âge. L'image procède selon un mécanisme d'identification.

Le texte : les pronoms « vous », « vos » et l'emploi de l'impératif pluriel sont également un moyen de faire réagir le lecteur : « Soyez vigilants ! ».

L'identification du candidat

L'image : le portrait du candidat sert de faire-valoir et souvent de programme. Lorsque le candidat est un notable, sa seule photo suffit. S'il est novice, ou en position difficile, il figure accompagné d'un responsable national.

Le texte : le nom du candidat, le sigle du parti politique, ainsi que le logo, servent de signature.

L'événement

L'affiche électorale renvoie à un événement qui se situe à un moment donné de la vie politique. Son rappel est parfois implicite :
— le titre de la fonction : « Un vrai Président ». Il s'agit d'élection présidentielle ;
— le domaine de responsabilité : « Le candidat de tous les Français », présidentielle ; « Chirac pour Paris », élection municipale... ;
— la date parfois : « Gagnons le 16 mars ». La date renvoie à un événement connu.

Le message de l'affiche

Les thèmes dominants : l'avenir, la nouveauté ou le changement, l'espoir, figurent dans les affiches électorales. Si le candidat se présente, c'est pour améliorer une situation qu'il juge mauvaise ou inachevée.

Les valeurs constantes : la vérité, la justice, la générosité, l'effort, la liberté, la fraternité sont des valeurs qu'on retrouve dans les affiches électorales.

Les codes de l'affiche

Le code de l'image : le vêtement, l'attitude, le plan utilisé, le décor, ne sont pas choisis au hasard. Ils sont interprétés par les lecteurs.

L'utilisation des couleurs : le rouge évoque la révolte, le bleu est signe de tranquillité, de savoir, de compétence, le blanc de pureté, le vert d'espoir.

La typographie : elle doit transmettre une impression en harmonie avec la photo du candidat (sérieux, dynamisme...).

La place du texte : au-dessus de l'image, en dessous de l'image, encadrant l'image. Le slogan correspond à une attente. Il semble aller de soi.

116

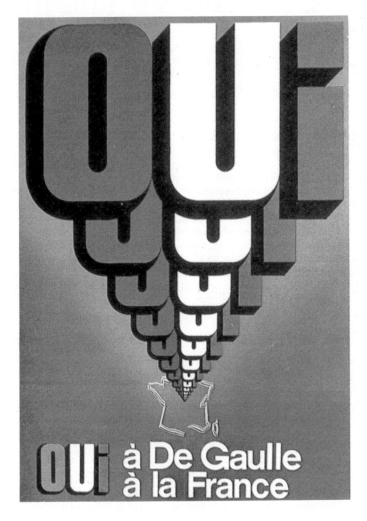

Cette affiche politique concerne le référendum proposé par le général De Gaulle pour une modification de la Constitution.

L'électeur est symboliquement présent à travers le dessin de la France et les couleurs du drapeau national.

Le bénéficiaire de cette campagne est nommé. Il s'agit de De Gaulle. Le V que dessinent les oui est celui de la victoire.

La nature de l'élection est indiquée par la répétition des oui. C'est un référendum.

Le message est constitué par l'assimilation entre le oui à la France et le oui à De Gaulle.

Les trois couleurs sont déployées comme un drapeau dans le ciel bleu. Elles sont rappelées en bas.

La construction en perspective suggère un cri lancé du fond du pays vers l'électeur.

| TECHNIQUES |
| PEINTURE |
| DESSIN |
| PHOTO |
| ARTS GRAPHIQUES |
| CINÉMA-VIDÉO |

L'affiche de cinéma

L'affiche cinématographique a pour fonction, non seulement d'informer, mais de frapper l'imagination en proposant une vision suggestive du film. Son évolution témoigne de celle du cinéma lui-même.

L'évolution

Début du siècle et cinéma muet : dès les années 1900, la firme Pathé-Gaumont possède ses ateliers de création et d'imprimerie. Des rapports privilégiés sont entretenus avec les artistes mais le contrôle est effectué par l'industrie. La caricature est fréquente et correspond à l'importance des films comiques qui sont alors produits.

1929-1950 : aux États-Unis, c'est la période dite du « star system ». L'affiche est alors d'autant plus vivement colorée que le cinéma est en noir et blanc. Les affichistes sortent des écoles d'art appliqué et constituent pour la plupart le noyau qui organisera plus tard la profession de la publicité.

Depuis 1950 : les affichistes abandonnent progressivement les représentations réalistes jugées trop naïves, au profit d'une image clef du film à laquelle ils confèrent une signification symbolique.

Les différents types d'affiches cinématographiques

	Caractéristiques	Exemples
L'affiche caricature	Utilisation fréquente du dessin ou du photomontage (théâtralisation des attitudes).	Affiche de Boris Grinson (1933) pour *Knock* mis en scène par Louis Jouvet. L'affiche associe dessin (scène burlesque où l'ancien médecin va subir une piqûre) et élément photographique (présence narquoise de Knock).
L'affiche du star system	Le visage de l'acteur est valorisé par des moyens techniques et graphiques. Il occupe une part importante de l'image.	L'affiche américaine du film de George Stevens : *Giant* (Géant) présente les visages d'Élisabeth Taylor, Rock Hudson et James Dean disposés de haut en bas, symétriquement au titre du film écrit verticalement.
L'affiche réaliste	Choix d'une scène du film réunissant un grand nombre d'informations.	L'affiche non signée de *Pépé-le-Moko*, film de Jean Duvivier, évoque une scène du film où l'acteur principal (Jean Gabin) apparaît au premier plan tandis qu'au second plan interviennent les comparses et que l'arrière-plan (architecture, femmes voilées) est révélateur du contexte.
L'affiche symbolique	Tendance à l'abstraction.	L'affiche de B. Villemot pour la *La Tête contre les murs*, adaptation du roman d'Hervé Bazin (1959), présente dans la diagonale de l'image une silhouette en déséquilibre dans un espace cubique qui l'enserre.

La scène symbolique.
Le vampire emporte sa proie. On aperçoit par la fenêtre en ogive le bateau qui l'amena ainsi que les montagnes des Carpates et les tours du château.

La thématique.
Fascination de la mort (orbites creuses, crâne, ongles-griffes, lianes souterraines), désir (abandon de la femme, geste qui menace et protège).
Vampirisme (dent, forme diabolique de l'oreille, chauve-souris, pieu...).

L'effet esthétique
Violence dramatique des *oppositions colorées* (noir, blanc, rouge).
Contraste entre courbes et angles (forme de l'ogive, caractère gothique des lettres).

La composition symétrique
forte diagonale qui isole l'homme de la femme.
Répétition de motifs.

L'affiche de cinéma cherche à transmettre un message en jouant sur plusieurs codes.

| TECHNIQUES |
| PEINTURE |
| DESSIN |
| PHOTO |
| ARTS GRAPHIQUES |
| **CINÉMA-VIDÉO** |

Le film

L'élaboration d'un film comporte plusieurs phases qui vont de la conception plus ou moins élaborée du projet à sa réalisation et à sa diffusion. En raison de l'importance des moyens techniques et humains mis en œuvre, chacune des étapes est rigoureusement définie.

Le projet

Le synopsis traduit sommairement (de quelques lignes à quelques pages) l'idée générale du film.

Le scénario développe le synopsis. Il précise, scène par scène, le déroulement et les péripéties de l'histoire, fixe le lieu et l'heure de chacune des scènes, précise les attitudes et la psychologie des personnages, indique les dialogues.

Le découpage (en anglais, story-board) enrichit le scénario de toutes les indications techniques nécessaires au tournage du film : objectif utilisé, types d'éclairage, angles de prise de vue, échelle du plan, mouvements de la caméra, effets particuliers...

La réalisation

Le repérage des lieux du tournage permet de confronter les hypothèses du scénario à la réalité concrète. C'est alors que sont déterminés les choix précis du décor (choix et modification éventuelle des décors naturels, construction de décors artificiels). L'ensemble des moyens nécessaires à la réalisation du film est précisé : type de matériel de prise de vue, systèmes d'éclairage...

Le plan de tournage ou plan de travail est la traduction écrite des décisions effectuées au repérage. Il définit, jour après jour, les séquences de plans à réaliser, fixe les dates et heures du travail, mentionne les noms des comédiens et des techniciens concernés, indique le matériel nécessaire...

Le tournage du film correspond à la phase de réalisation effective. La personnalité du metteur en scène et le sujet du film retentissent sur les formes et le rythme du travail. Certains réalisateurs (cf. Hitchcock) suivent très précisément le plan du tournage établi dans ses moindres détails. D'autres (cf. Lelouch) accordent une part importante à l'improvisation et modifient les décisions initiales. En règle générale, on effectue le plan prévu de l'angle prévu jusqu'à ce que la qualité technique du plan et le jeu des acteurs soient satisfaisants. La scripte note les références des plans retenus. Chaque soir, les films sont envoyés au laboratoire. Les images développées (ou rushes) sont visionnées quotidiennement, ce qui permet de recommencer éventuellement les scènes défectueuses.

Le montage et la post-production

La bande-son et la bande-image sont synchronisées puis assemblées dans l'ordre prévu par le découpage.

Si plusieurs sons doivent se superposer, il faut monter des bandes différentes. Ils sont ensuite mélangés (opération de mixage) et reportés sur une seule bande (pour un enregistrement en monophonie) ou sur deux bandes (stéréophonie).

Le tournage du film *Les Oiseaux*. Alfred Hitchcock, au centre du plateau, dirige ses acteurs. Les oiseaux sur le toit de la maison sont en fait empaillés. Mais la scène à réaliser est celle de la fuite, c'est l'actrice qui, en se sauvant, donnera l'impression du mouvement que le déplacement latéral de la caméra accentuera imperceptiblement. Les lumières et les ombres ajouteront une ambiance inquiétante et menaçante à la scène.

TECHNIQUES
PEINTURE
DESSIN
PHOTO
ARTS GRAPHIQUES
CINÉMA-VIDÉO

Mouvements de la caméra

Au début du cinéma, les prises de vues cinématographiques étaient effectuées uniquement en plan fixe, c'est-à-dire sans déplacement de la caméra. Le réalisateur Griffith a, le premier, rompu avec cette pratique en déplaçant la caméra.

Le panoramique

La caméra pivote autour d'un point fixe (pied de la caméra ou épaule du cadreur). Panoramique horizontal : la caméra pivote horizontalement. Fonction éventuelle : décrire un paysage dont on suit la ligne d'horizon.

Panoramique vertical

La caméra pivote verticalement (de bas en haut ou de haut en bas). Fonction éventuelle : ménager un effet de suspens en découvrant progressivement un personnage par un mouvement continu allant des pieds au visage.

Le travelling

La caméra se déplace suivant une trajectoire définie. Elle peut être simplement posée sur l'épaule du cadreur (travelling-épaule) ou placée dans un véhicule (chariot de travelling). Le travelling a une fonction descriptive. Il peut aussi permettre d'évoquer ce que perçoit un personnage (*travelling* subjectif).

Travelling avant

La caméra s'approche graduellement du sujet filmé. Effet : le sujet est mis en valeur. Il est peu à peu isolé du reste de la scène. Le *travelling* avant peut aussi suggérer un sentiment (tension intérieure) du personnage filmé.

Travelling arrière

La caméra recule graduellement. Effet : l'importance du sujet est relativisée tandis que le décor et parfois d'autres personnages sont révélés au spectateur. Le travelling arrière peut introduire un élément explicatif (exemple : phénomène justifiant l'anxiété du héros). Il peut également souligner une correspondance ou une opposition entre le personnage et le contexte.

Travelling optique ou « zoom »

La caméra ne se déplace pas mais est équipée d'un objectif à focale variable qui donne l'illusion du travelling. Le zoom est employé chaque fois que l'on cherche une grande rapidité d'exécution (reportage et documentaire).

Le plan-séquence

Il combine successivement ou simultanément différents mouvements de la caméra et présente une seule séquence·dans un seul plan.

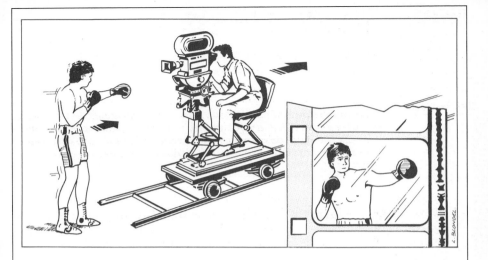

Travelling d'accompagnement
Caméra et sujet filmé se déplacent en même temps. Le travelling d'accompagnement peut s'effectuer selon un mouvement latéral, avant ou arrière.
Effet : il permet de suivre un personnage et renforce l'illusion de la réalité.

Travelling latéral
La caméra se déplace latéralement (sur le côté).
Effet : le travelling latéral peut permettre de présenter successivement plusieurs personnages (exemple : troupe passée en revue) ou de changer de point de vue à l'intérieur d'une même scène.

TECHNIQUES

PEINTURE

DESSIN

PHOTO

ARTS GRAPHIQUES

CINÉMA-VIDÉO

Effets spéciaux de caméra

Le recours aux effets spéciaux remonte aux origines du cinéma : tout y est artifice et tout paraît vrai. Découverts très tôt, les effets spéciaux de caméra sont l'arrêt caméra ou substitution, la marche arrière, le ralenti, l'accéléré et le tournage vue par vue.

L'arrêt de caméra ou substitution

Procédé : c'est par hasard que G. Méliès le découvrit. Il raconte : « Un blocage de l'appareil dont je me servais au début... produisit un effet inattendu, un jour que je photographiais prosaïquement la place de l'Opéra ; une minute fut nécessaire pour débloquer la pellicule et remettre l'appareil en marche. Pendant cette minute, les passants, omnibus, voitures avaient changé de place. En projetant la bande ressoudée au point où s'était produite la rupture, je vis subitement un omnibus Madeleine-Bastille changé en corbillard et des hommes changés en femmes. » Le truc par substitution, dit truc à arrêt, était trouvé (G. Méliès, *Revue du cinéma*, 15/10/1929).
Effet recherché : rupture comique ou effet fantastique.

La marche arrière

Procédé : on filme le mouvement inverse de celui que l'on veut montrer (exemple : saut de haut en bas pour évoquer un bond prodigieux de bas en haut) et on monte le plan à l'envers (la fin du mouvement correspond au début du plan).
Effet recherché : évoquer visuellement un mouvement difficile à concevoir, même par un cascadeur (utilisation fréquente dans les films de science-fiction dont les héros sont dotés de pouvoirs supranaturels), suggérer une scène impossible à réaliser (exemple : pour représenter l'invasion de nuages de sauterelles, on a utilisé ce procédé et propulsé des grains de sable.

Le ralenti

Procédé : on tourne à raison de 48 à 96 images seconde un plan que l'on projette ensuite à vitesse normale (24 images/seconde).
Effet recherché : souligner la violence en prolongeant un moment de tension extrême ou introduire une explication en décomposant le geste (vues sportives). Ce procédé a parfois une fonction esthétique (clip vidéo).

L'accéléré

Procédé : on filme 12 ou 8 images/seconde et on projette à 24 images/seconde.
Effet recherché : comique, souvent utilisé dans les premiers films.

Le vue par vue

Procédé : les images sont espacées d'une seconde ou plus. C'est l'expression limite de l'accéléré.
Effet recherché : ce procédé est souvent utilisé dans un but explicatif (cycle de la germination, éclosion d'une fleur, décomposition d'un corps organique).

De la maquette à l'image du film : La *Conquête du pôle* de G. Méliès.

TECHNIQUES

PEINTURE

DESSIN

PHOTO

ARTS GRAPHIQUES

CINÉMA-VIDÉO

Trucages cinématographiques

Les effets spéciaux de décors n'ont cessé de se perfectionner depuis Méliès qui en inventa un grand nombre. Ce sont les procédés qui permettent d'associer dans une même image fond photographique, décors et scène réelle. Ce sont aussi les maquettes fixes ou animées (bases spatiales, engins supersoniques).

Vitre peinte

Une partie du décor est peinte sur une vitre interposée entre les acteurs et la caméra (exemple : décor fantastique, forêt vierge...). Ce procédé, couramment employé, nécessite une grande profondeur de champ.

Procédé Schuftan

Un miroir, dont certaines parties désargentées sont transparentes, est interposé entre le décor et la caméra. Les acteurs et une partie du décor apparaissent dans les parties transparentes tandis que le miroir renvoie l'image d'une photographie ou d'une maquette.

Cache et contre-cache

On interpose un cache entre la caméra et la scène filmée. Ce procédé permet de faire figurer deux fois le même personnage sur un seul plan : on filme le personnage dans la partie droite de l'image et on cache la partie gauche. Ensuite, on contre-cache : on masque alors la partie droite pour filmer à gauche.
Le film comporte 360 plans truqués, en éléments composites, 560 plans effectués selon la technique des masques et 900 effets spéciaux comportant des maquettes d'échelles différentes.

Effets spéciaux programmés

Les techniques numériques permettent de piloter automatiquement des trucages. Cette utilisation est particulièrement intéressante pour filmer image par image des maquettes animées de mouvements contrariés.
Exemple : *La Guerre des étoiles* de G. Lucas. Grâce à l'apport de l'informatique, deux mois de travail ont été nécessaires au tournage, alors que celui-ci aurait exigé plusieurs années avec les seuls moyens des maquettes animées..

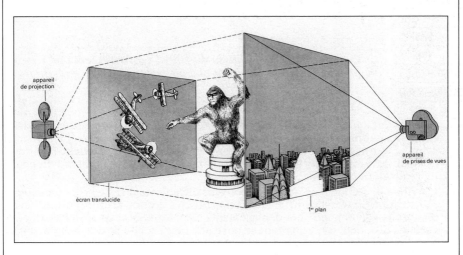

R. BELLONE, « Cinéma : les trucages », *Encyclopaedia Universalis*, 1980.

Dans le film *King-Kong* de M.C. Cooper et E.B. Schoedsack (1933), on a utilisé simultanément la transparence (avions dans le ciel), une maquette (le singe géant) et un décor miniature (reconstitution d'un quartier de New York).

Maquettes animées :
elles permettent de simuler une scène dont le tournage serait impossible ou trop coûteux.
Exemple : simulation d'un naufrage tourné en plan large. La scène doit être filmée en vitesse accélérée pour restituer l'impression du mouvement.

Fond du décor
Fond photographique appelé découverte :
le fond du décor est obtenu à partir de l'agrandissement géant ou de la projection d'une photographie.

Fond cinématographique ou transparence :
on projette un film à l'arrière-plan d'une scène tournée en studio.
Exemple : paysage défilant à travers la vitre d'une automobile ou d'un train.

| TECHNIQUES |
| PEINTURE |
| DESSIN |
| PHOTO |
| ARTS GRAPHIQUES |
| **CINÉMA-VIDÉO** |

Le « story-board »

> *C'est la première esquisse du film à tourner. C'est une façon pour le metteur en scène de prévoir une scène avant de la filmer.*

Un document de travail

Les spots publicitaires sont présentés sous forme de *story-board* à l'annonceur avant le tournage. S'il n'est pas satisfait, l'équipe artistique retouche l'histoire, la modifie, remplace certains épisodes. Lorsque le client est satisfait, la phase de réalisation commence.

Les films de fiction à gros budget peuvent difficilement faire l'économie de la préparation du *story-board*. Il faut construire les décors, prévoir l'évolution de nombreux personnages, des déplacements complexes des caméras. Par ailleurs certains producteurs souhaitent se faire une idée précise de ce que sera le film avant de monter financièrement l'opération.

Le *story-board* n'est pas une étape obligatoire dans la réalisation d'un film, mais de grands metteurs en scène tels Charlie Chaplin, Alfred Hitchcock, Joseph Losey ou René Clair l'ont utilisé.

Montrer ce que l'on veut filmer

Structurer le film : le schéma de construction qu'est le *story-board* permet de mesurer la durée des séquences et de travailler directement sur le rythme du film. Par ailleurs c'est un document qui permet de se faire comprendre rapidement quand on discute avec les cadreurs, les opérateurs ou le monteur.

Visualiser un décor, un costume : le *story-board* est aussi un document qui facilite la communication avec les costumiers-décorateurs. Ils voient directement ce que souhaite le réalisateur et peuvent ainsi faire part de leurs remarques.

Prévoir les déplacements : des comédiens, mais aussi de caméra. C'est gagner du temps lors de la mise en place du plateau, de la disposition des éclairages, des répétitions. Le dessin des attitudes des personnages permet aux comédiens de faire immédiatement ce qui est attendu.

Technique

Le *story-board* se présente sous la forme d'une bande dessinée. Il illustre le découpage du film et présente trois types d'informations.

Les images : dans un cadre qui représente l'écran, le metteur en scène, ou un dessinateur, inscrit la position des comédiens, les éléments du décor, prévoit les plans fixes et les angles de prise de vues ainsi que la direction de la lumière.

Les paroles, dialogues et voix « off » figurent à côté du dessin.

Les bruits, la musique : ils peuvent être notés à côté de chaque cadre.

Vidéo
Vue aérienne, mer d'huile, chaleur de plomb. Plusieurs planches entremêlées au milieu de la mer.

Audio
Musique très lente.
Texte chanté : « Quand rien ne bouge ».

Vidéo : Vu aérienne, mer d'huile, chaleur de plomb. Plusieurs planches entremêlées au milieu de la mer.
Audio : Musique très lente. « Quand rien ne bouge ». Textes chantés.

Vidéo : Un autre garçon est complètement effondré sur sa planche.
Audio : « Soif de fraîcheur ».

Vidéo : Zoom. On découvre de jeunes véliplanchistes complètement inactifs. Il n'y a pas de vent, pas de vagues.
Audio : « Le calme plat ». Musique.

Vidéo : Le premier garçon ouvre sa sacoche et en retire des bouteilles de FORCE 4.
Audio : La musique accélère. « FORCE 4 ».

Vidéo : Gros plan sur un jeune homme qui s'éponge le front du revers de la main. Il a soif.
Audio : « Soleil de plomb ».

Vidéo : Il envoie des bouteilles à ses amis.
Audio : Musique.

Vidéo : Plan plus large, toujours le calme plat.
Audio : « Oh, moi j'ai soif ».

Vidéo : Gros plan d'une main recevant la bouteille.
Audio : Musique.

Le passage d'un plan à un autre dépend du rythme que l'on entend donner au film. Plus il y a de plans différents en peu de temps, plus le rythme semble rapide, et inversement.
Le passage d'une image à l'autre est également dicté par la durée du commentaire oral. Le texte prévu pour un plan ne peut déborder sur un autre plan.

TECHNIQUES
PEINTURE
DESSIN
PHOTO
ARTS GRAPHIQUES
CINÉMA-VIDÉO

La succession des images

L'élaboration d'un récit en images implique des étapes séparées et complémentaires : la première concerne l'invention de l'histoire et les moyens qui permettent d'organiser le récit. La seconde porte sur la mise en images qui doit respecter les règles de cohérence, quel que soit le support considéré.

Le choix du déroulement narratif

Commencer par le début : c'est le cas le plus fréquent. Il permet d'exposer avec précision la situation initiale (montrer où et quand se passe l'histoire, qui est concerné).

Commencer par la fin : c'est un procédé qui permet de capter immédiatement l'attention et de soulever éventuellement un problème. L'interrogation du spectateur ne porte pas sur les conséquences déjà connues de l'action, mais sur l'action elle-même.

Finir par le début : c'est le cas de tout film policier à énigme. Le lecteur ou le spectateur ne doit pouvoir découvrir les éléments de la situation initiale (qui a tué ? pourquoi ?) qu'à la fin du récit.

Le montage des plans

Lumière, costumes, décor	La succession des images implique une cohérence de la lumière (jour/nuit, pluie/soleil), du décor, des costumes et des accessoires. Exemple : un personnage en pull rouge ne peut se retrouver en pull vert au plan suivant.
Place des personnages	L'enchaînement des images doit se faire selon le même axe visuel : un personnage perçu dans la partie gauche d'une image en plan large doit rester dans cette zone de l'image s'il est ensuite présenté en plan rapproché.
Postures et mouvements	Postures et mouvements de personnages représentés en plans séparés doivent concorder d'un plan à l'autre.
Raccord regard	Quand on associe un plan comportant un personnage qui change de physionomie à un plan qui représente un décor ou d'autres personnages, la signification de la succession des plans est la suivante : le personnage du plan 1 donne l'impression de regarder le plan 2.
Oppositions	Une rupture, un choc psychologique peuvent être obtenus par la juxtaposition d'images qui n'entretiennent pas de relation dans la continuité du récit, mais provoquent un effet de sens inattendu grâce à leurs relations visuelles (parallélismes, oppositions).

NON

OUI

NON

OUI

TECHNIQUES

PEINTURE

DESSIN

PHOTO

ARTS GRAPHIQUES

CINÉMA-VIDÉO

Le film de fiction

Les tout premiers films produits par les frères Lumière étaient des documentaires dont les foules se lassèrent au bout de 18 mois. Pour provoquer l'intérêt, le cinéma dut apprendre à raconter. C'est le film de fiction qui a fait son succès, son public et son industrie.

Caractéristiques

La construction du récit : elle peut être sommaire et consister en une simple anecdote avec retournement de situation (ex. : *L'Escamotage d'une dame*, Méliès 1896) ou devenir complexe et comporter péripéties, rebondissements et changements de point de vue (ex. : *La Règle du jeu*. J. Renoir 1939, ou *Citizen Kane*, O. Welles 1941).

Le rythme : il dépend du rapport entre le temps réel de la projection (de 60 à 120 minutes en moyenne) et le temps supposé de l'histoire racontée. Les ellipses (suppression d'une portion de temps), les anticipations et les retours en arrière contribuent au rythme de la fiction.

Le genre : réalisme et non-réalisme

Les films réalistes cherchent à entretenir l'illusion du vrai que l'avènement du parlant (1929) peut rendre complète. Les films non réalistes transforment la réalité et lui imposent une convention ou un style.

Moyens	Films réalistes	Films non réalistes
Décors et éclairage	Tournage en extérieur ou décor donnant une image exacte de l'environnement naturel.	Décors stylisés - Effets d'éclairage particuliers.
Dialogues, sonorisation	Langage courant et quotidien.	Langage poétique ou conventionnel. Effets musicaux - Bruitage.
Personnages	Personnages types incarnant une partie de la société que le spectateur peut identifier.	Personnages d'exception - Sentiments extrêmes - Remplacement des personnages par un narrateur.
Construction du récit	Récit linéaire reproduisant dans sa continuité l'écoulement du temps réel.	Ellipses - Retours en arrière. Anticipations.
Mouvements de caméra, angles de prise de vues	Écriture « transparente » mouvements de caméra peu repérables.	Mouvements de caméra apparents, utilisation d'angles de prise de vues peu courants.

Une image de *Nosferatu le Vampire* de F.W. Murnau (1922).

Un traitement fantastique de l'image : cadrage, angle de vue, effet de silhouette, contraste entre ombre et lumière...

TECHNIQUES
PEINTURE
DESSIN
PHOTO
ARTS GRAPHIQUES
CINÉMA-VIDÉO

Le film documentaire

Un film documentaire est un film informatif. Il dure une quinzaine de minutes. Les domaines privilégiés sont scientifiques, ethnographiques, sociologiques.

Le scénario

Le film documentaire est minutieusement préparé, le réalisateur part d'une idée qui peut être le fruit d'une observation. Il entreprend alors une recherche sur le phénomène. Puis il élabore le scénario de son film. L'objectif du film est la vérification expérimentale de l'idée de départ.

Le scénario est constitué de la suite des séquences du film. On appelle séquence un ensemble de plusieurs plans se rapportant au même sujet (par exemple une cérémonie). Chaque séquence est identifiée par un numéro. Elle possède une durée approximative. Cette durée correspond à l'importance de la séquence dans le film.

Les indications concernant les images et le commentaire sont précisées séquence après séquence sur le scénario.

La logique de la séquence détermine l'emploi des plans. Dans une séquence déductive on va du général au particulier (du plan d'ensemble vers le gros plan); dans une séquence inductive, on part du détail pour remonter vers les généralités (du plan moyen vers le plan d'ensemble).

La fonction du montage

Sélectionner les prises de vues à retenir : les images prouvent la vérité de l'information donnée par le commentaire. On préfère les images qui offrent le plus petit nombre d'interprétations.

Mettre au point les raccords entre les plans : la succession des différents plans, des différentes sources d'images (images de studio, de reportages, d'archives, de films de fiction, de dessins animés) peuvent se combiner dans un documentaire. Les transitions entre elles sont opérées lors du montage.

Créer le rythme du documentaire : le rythme est donné par le montage. La succession de séquences longues ou de séquences courtes crée le rythme. Il est rapide dans le cas d'une succession de plans brefs, il est lent si les plans sont longs. On adapte le rythme de la séquence à l'action représentée.

Le commentaire

Son rôle : il décrit l'image lorsqu'elle n'est pas explicite. Il apporte les informations que l'image ne peut donner (époque, lieu, fonction des personnages...). Il redit l'information portée par l'image lorsqu'elle est essentielle.

Sa place dans l'image : généralement la parole se place avant ou après l'action. Mais le commentaire peut aussi servir de transition entre deux séquences très différentes. Alors il chevauche les deux séquences qu'il relie.

Sa construction : le commentaire est construit de phrases courtes. Elles facilitent la mémorisation de l'information. Le commentaire est constitué de phrases simples pour faciliter la compréhension. Le vocabulaire est général. Si un mot technique est employé, il est défini.

Le rôle du son

Il souligne en donnant un sens : le choix de la musique d'accompagnement dépend de ce qui est présenté à l'image. Le volume dépend de l'intensité dramatique de la séquence. Le silence est une façon de mettre en valeur une séquence.

Il apporte une preuve de la véracité du documentaire : les paroles des témoins et des acteurs d'un événement, les sons enregistrés en même temps que l'image authentifient la séquence.

Séquence 1

Titre de l'émission	Sujet	Réalisateur	Année de réalisation	Diffusée	Chaîne	Durée début : fin :

Image	studio				durée	numéro magnétoscope
	reportage					
	archive					
	fiction					
	animation					
Texte	générique					
	désignation					
Son	parole	présentateur				
		acteur				
		témoin				
	bruitage	d'origine				
		postsynchro				
	musique	d'auditorium				
		d'origine				

Séquence après séquence, fiche de mise au point d'un film documentaire

TECHNIQUES
PEINTURE
DESSIN
PHOTO
ARTS GRAPHIQUES
CINÉMA-VIDÉO

Le dessin animé

Le dessin animé rend possible toutes les fantaisies de l'imagination et permet aussi d'établir une communication attractive dans les films d'information.

Le procédé du dessin animé

Un film défile à la vitesse de 24 images à la seconde. Pour donner l'illusion du mouvement, le réalisateur d'un dessin animé doit donc photographier 24 dessins pour avoir une seconde de projection. Un dessin animé de dix minutes est par conséquent composé de 14 400 dessins différents.

Les dessins

Les décors : ils sont dessinés sur un papier parfaitement blanc et lisse. Le dessin du décor sert pour plusieurs images. C'est sur ce fond que l'on fait évoluer les personnages.

Les personnages : ils sont dessinés et peints sur des feuilles transparentes, les « cellulos », de façon à être superposés au décor. On ne représente qu'un seul personnage par cellulo.

La mise au point des dessins

La perspective : lorsqu'un personnage s'éloigne, il devient de plus en plus petit. Le dessinateur doit prévoir une suite de cellulos représentant successivement le même personnage avec une taille de plus en plus petite.

Si le mouvement se répète, on peut à la prise de vue réutiliser la même série de cellulos. Le dernier dessin est alors identique au premier et le cycle recommence au dessin n° 2 autant de fois qu'il est nécessaire.

La prise de vue

Le matériel : la prise de vue s'effectue à l'aide d'un appareil appelé « banc-titre ». Il est placé à la verticale et maintenu par un socle adapté à la table de tournage qui permet de filmer image par image.

Déplacement du personnage sur le décor : on divise la distance entre l'arrivée et le départ en plusieurs parties égales. À chaque point correspond une nouvelle feuille de transparent et donc une nouvelle photo. Si on veut changer la vitesse du mouvement, on modifie le nombre de divisions sur la trajectoire. S'il y a moins d'intervalles, le mouvement paraîtra plus rapide, par contre s'il en a plus la cadence sera ralentie.

L'élaboration du dessin d'animation :
on décalque le dessin sur une feuille transparente appelée cellulo. Le dessinateur y recopie à l'encre de chine d'un trait uniforme chaque sujet.
Une fois le « cell » tracé, on procède à la coloration. On utilise de la gouache sur le verso de chaque cellulo.

L'élaboration du décor :
on exécute le dessin du décor sur du papier parfaitement blanc et lisse. Pour donner plus de relief, on le colorie de la façon suivante :
— 1er plans : couleurs plus vives ;
— 2e plan et arrière-plan : couleurs plus atténuées.

La prise de vue :
le décor est posé sur le banc-titre. On applique sur le fond dessiné un premier cell que la caméra photographie. Une fois le cell photographié, on l'enlève puis on place sur le décor le dessin qui suit. On doit ainsi photographier 24 dessins successifs pour avoir une seconde d'image animée.

Pour donner l'illusion d'un mouvement plus important du personnage, on déplace le décor à chaque cell successif sans bouger la caméra. Le fond de plan est déplacé avec une avance régulière de droite à gauche à chaque prise de vue.

La technique de l'animation

TECHNIQUES
PEINTURE
DESSIN
PHOTO
ARTS GRAPHIQUES
CINÉMA-VIDÉO

L'image télévisée

C'est de la transformation d'une image optique en signal électrique que naît l'image télévisée.

Caractéristiques de l'image

L'image télévisée : elle est composée d'informations réparties sur l'écran en un certain nombre de lignes constituées elles-mêmes d'un nombre variable de points. C'est le nombre de lignes qui détermine la qualité et la précision de l'image. Le standard européen est actuellement de 625 lignes alors que les premières images n'en comportaient que 30.

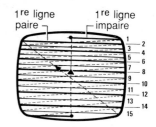

Balayage optique : chaque image est formée de deux trames complémentaires. Le balayage des lignes paires compose une demi-image tandis que celui des lignes impaires forme la demi-image ou trame correspondante.

Définition et fréquence : l'image télévisée est caractérisée par sa définition (nombre de lignes par image) et par sa fréquence (nombre de trames par seconde). En Europe, la fréquence est de 25 images (50 trames) par seconde.

Luminance et chrominance : en noir et blanc, le caractère plus ou moins clair ou foncé de chaque point de l'image (luminance) est déterminé par l'intensité du courant électrique.
En couleur, chaque point de l'image reçoit deux informations : celle du noir et blanc ou luminance, et celle de la couleur ou chrominance.

Le circuit de l'image télévisée

Les images sont transmises aux téléviseurs par des réseaux hertziens du sol (toute onde électrique est mesurable en hertz ; l'hertz, codé Hz, correspond au nombre de vibrations par seconde).
La réception se fait sur le téléviseur : le signal hertzien est reçu par une antenne qui le transmet au poste de télévision récepteur. Celui-ci transforme le signal électrique en image.
Aux anciens systèmes de transmission qui ne permettaient pas aux ondes de franchir les montagnes, et exigeaient de nombreux relais, se substitue la transmission par satellite.
Le stockage s'effectue grâce au magnétoscope. Au début de la télévision, il était possible de produire mais non de stocker les images télévisées, et les émissions s'effectuaient en direct. Pour stocker, on filmait puis on transformait l'image filmique en image électronique grâce à un appareil appelé télécinéma.

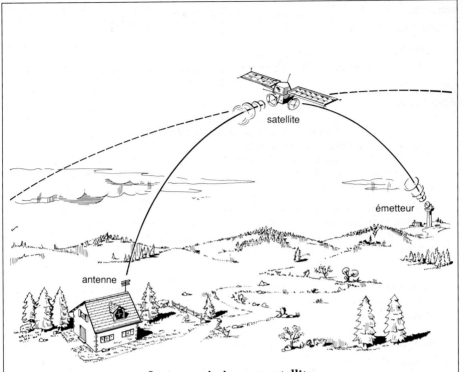

La transmission par satellite

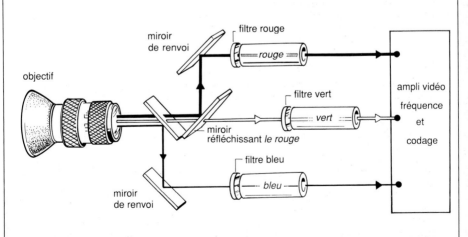

La caméra

TECHNIQUES
PEINTURE
DESSIN
PHOTO
ARTS GRAPHIQUES
CINÉMA-VIDÉO

TV : la communication permanente

Le temps passé devant la télévision progresse de façon constante. En Europe occidentale et en Amérique du Nord, la plupart des foyers sont équipés d'un téléviseur. Toutes les tranches d'âge sont concernées. Le spectacle télévisé s'insère dans les rythmes et les habitudes, et transforme le mode de vie.

Contact permanent

Les speakerines assurent, depuis les débuts de la télévision, une fonction de contact avec le public. Elles annoncent les différentes émissions et elles établissent une continuité dans la grille des programmes. Pour des raisons de communication, la fonction a d'abord été exclusivement féminine, et a consisté selon les besoins à improviser. Actuellement, les textes sont rigoureusement préparés et le message, rapide et direct, est complété par des bandes-annonces.

Les génériques, *jingles* et bandes-annonces relaient le message du présentateur ou de la speakerine.

Mise en spectacle

La plupart des émisions (informations, sports, variétés) utilisent la possibilité de multiplier une image sur l'écran, de la faire tourner, de jouer sur la coïncidence de deux états d'une même action. Le rythme du montage a tendance à s'accélérer : on multiplie les coupes et les points de montage pour captiver le spectateur par l'abondance et la diversité des images et des sons.

Il semble que la captation soit d'autant plus forte que la forme de l'émission se rapproche de celle d'un match (forme préférée de la majorité des téléspectateurs). Les émissions d'information ont tendance à privilégier un effet de dramatisation.

Participation du public

Avec le direct : le spectateur reste à distance mais suit les événements en même temps qu'ils se déroulent. Le direct crée un élargissement de la perception et l'impression de communiquer à l'échelle planétaire. La multiplication des sources d'information et la rapidité de l'intervention peuvent permettre de communiquer au journal de 20 h les images d'un événement éloigné survenu à 19 h 30. Les émissions sportives, en particulier les grandes compétitions, sont diffusées en direct. Depuis 1950, le système Eurovision permet à 400 millions de téléspectateurs de suivre en même temps certaines manifestations sportives.

Les systèmes de communication en duplex ou triplex (2 lieux ou 3 lieux) permettent la communication de personnes enregistrées à distance au même moment. Ils sont utilisés pour le sport, les variétés et la politique.

Les appels téléphoniques donnent la possibilité aux téléspectateurs de participer à une émission de jeux, de se prononcer sur un problème ou d'intervenir dans un débat.

Le public est relayé dans le studio lui-même par des spectateurs qui figurent comme simples témoins.

Les sondages d'opinion constituent une participation invisible mais importante du public au contenu des émissions : producteurs et réalisateurs décident du maintien, de la modification ou de la suppression d'une émission en fonction de son audience, qui intervient sur les revenus de la chaîne. Depuis 1984, le système français Audimat se charge de mesurer l'audience des différentes chaînes. 1 000 foyers représentatifs de la population possèdent des téléviseurs équipés de boîtiers électroniques, ce qui permet d'interroger directement le téléviseur et d'effectuer un gain de temps. Actuellement, des systèmes dérivés visent à affiner la mesure (on cherche à savoir par exemple combien de personnes ont regardé l'émission).

La courbe varie de 2 à 71 % (record battu par le film d'Yves Boisset *La Femme flic* diffusé à 20 h 30. Le Loto fait un score important (40 %) suivi de près par les émissions de variétés.

L'heure de plus grande écoute se situe entre 19 h 30 et 20 h 30 et des sommes considérables sont parfois dépensées pour retenir les téléspectateurs.

La durée d'une émission est en moyenne de 3 ans. Quand l'audience est bonne, la formule de l'émission ne change pas, ce qui permet de sécuriser le téléspectateur par la stabilité des repères.

TECHNIQUES
PEINTURE
DESSIN
PHOTO
ARTS GRAPHIQUES
CINÉMA-VIDÉO

Le clip vidéo

Pour la maison de disques, le clip vidéo est avant tout un outil de promotion dont la fonction est de convaincre l'auditeur d'acheter une chanson.

Le thème

La musique constitue le fil conducteur de l'ensemble. Celui-ci peut être une histoire ou simplement une ambiance qui ordonne les différentes séquences. Différents procédés peuvent être mis en œuvre.

Élargir l'imaginaire d'une chanson par une succession de plans qui disent ce que les mots ne disent pas.

Utiliser les techniques du cinéma pour faire vivre un scénario qui se déroule en parallèle avec la chanson. Les images sont l'illustration des textes.
L'interprète de la chanson peut intervenir par exemple comme narrateur tandis que la chanson est mise en scène et jouée par des acteurs. L'interprète de la chanson peut au contraire prendre une part active à l'action.

Illustrer la chanson sans tomber dans la correspondance systématique des mots, des notes et des images. On peut utiliser l'humour et la parodie, le détournement de références connues de tous (cinéma ; mode ; histoire...).
Exemple : un clip en noir et blanc dont le scénario s'inspire des courts métrages comiques de l'époque du cinéma muet.

Utiliser de nouveaux procédés techniques, on donne une dimension originale à la chanson, on privilégie l'aspect fantastique de l'image en faisant coexister des éléments réels et imaginaires.
Exemple : on incruste le chanteur (ou le groupe) dans un univers composé d'éléments fantaisistes. Le procédé permet tous les changements d'échelle voulus.

1. Filmer l'interprète sur un fond bleu, sans décor, ni accessoires.

3. Incruster le sujet animé sur les fonds. On peut superposer plusieurs images en jouant sur les différences de proportions des objets et des décors.

2. Filmer le décor, les accessoires réels ou dessinés.

Montrer l'image de l'artiste ou du groupe par le montage d'une succession de situations conformes à son univers.
Exemple : filmer le groupe sur scène, en répétition...

Le montage vidéo

Pour monter ou recopier sur un autre magnétoscope les images d'un plan choisi puis celles du plan auquel on veut raccorder le précédent, on utilise une table de montage. L'opération s'effectue dans l'ordre suivant :
— visionnement du film sur le magnétoscope de lecture et choix d'un plan particulier ;
— mise en mémoire du point de montage (début et fin du plan) ;
— copie du plan retenu sur le magnétoscope enregistreur.
Le montage consiste à sélectionner les prises de vues et les organiser afin de créer le rythme du récit souhaité par le réalisateur. Ce n'est pas un simple assemblage, c'est une re-création, qui met en valeur les images en jouant sur des rapports de contraste ou d'association. La musique ajoute une signification à l'image : le rythme visuel et le rythme musical peuvent d'ailleurs obéir à des structures analogues (certaines images reviennent périodiquement de la même façon que le refrain d'une chanson).

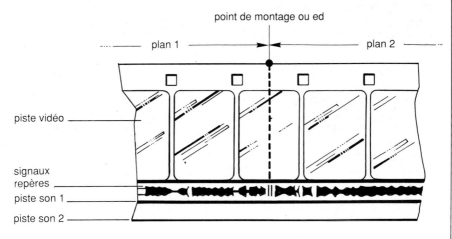

Le plan vidéo est constitué par une suite d'enregistrements magnétiques (signal vidéo). La lecture s'effectue grâce à des repères placés sur une piste de comptage (en anglais *Control Tracking Level* : piste C.T.L.).

TECHNIQUES
PEINTURE
DESSIN
PHOTO
ARTS GRAPHIQUES
CINÉMA-VIDÉO

L'image numérisée

L'image numérisée, qu'on appelle aussi image numérique ou image de synthèse, se rencontre sur les écrans des moniteurs d'ordinateurs, sur les écrans des jeux vidéo, sur les écrans des postes de télévision. Elle peut être copiée ou reproduite sur papier.

Image numérisée et image vidéo

L'image vidéo (l'image de la télévision) est une copie de la réalité enregistrée sur une bande magnétique au moyen d'une caméra vidéo ; l'image numérisée, elle, est créée directement par un programme d'ordinateur. L'objet représenté peut ne pas exister matériellement. Il est défini par sa forme géométrique.

Une image conçue sur ordinateur

Un programme informatique définit tous les points et toutes les lignes que l'on souhaite voir représentés. Chaque figure est définie en volume (longueur, hauteur, profondeur). Chacun des 54 000 points de l'écran est ainsi défini en brillance et en couleur. Les figures peuvent ensuite, selon le programme choisi, changer de taille et de direction sur l'écran.

La conception assistée par ordinateur (C.A.O.)

La conception assistée par ordinateur dans les bureaux d'étude industriels a été à l'origine des premières images numérisées. Les domaines de l'aérodynamisme et de l'hydrodynamisme nécessitent des représentations en trois dimensions. Pour autant, il n'est pas besoin d'être informaticien pour créer des images en C.A.O. On introduit par exemple un programme qui tient compte des lois de la perspective, puis un autre qui tient compte des lois de la mécanique des fluides. Enfin un troisième qui génère une ou plusieurs sources lumineuses. L'ordinateur applique ces différents programmes. Le concepteur introduit toutes les transformations nécessaires. Automatiquement l'ordinateur modifie.

Image numérisée et simulation en temps réel

Elle est utilisée pour l'entraînement des pilotes de l'aviation civile et militaire, mais aussi pour la formation des conducteurs à la S.N.C.F. Sur l'écran défile l'image numérisée de la région avec son relief. On peut programmer les conditions de visibilité (brouillard, pénombre, nuit...) et de luminosité (soleil rasant, soleil de face...). La vitesse de défilement de l'image est commandée en temps réel (c'est-à-dire qu'elle est identique à ce qui se passerait dans la réalité, compte tenu des réactions de celui qui s'entraîne). Un instructeur peut à tout moment introduire une modification dans le comportement de l'appareil pour simuler un incident, de manière à vérifier, en temps réel, les réactions du pilote.

Image numérisée et décors de cinéma

Les images numérisées sont utilisées par les créateurs d'effets spéciaux. Les décors de certains films n'existent que sous forme de programmes. Les acteurs jouent devant un écran sur lequel est projetée l'image du décor.
Les dessins animés peuvent également être créés par images de synthèse. Les mouvements des personnages sont gérés par l'ordinateur.

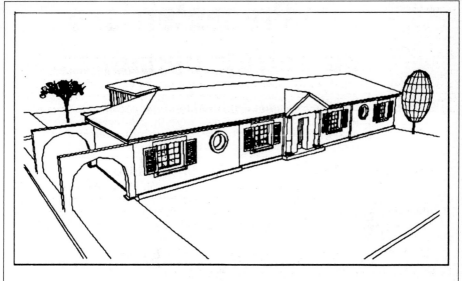

Perspective avec faces cachées

Quadrifocalité

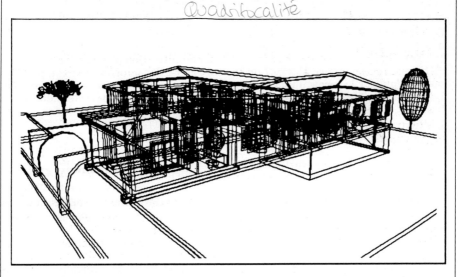

Perspective fil de fer

Les architectes utilisent l'image numérisée qui permet d'apporter immédiatement toutes les modifications au plan de base. On insère dans le premier programme celui du changement souhaité et les transformations s'opèrent automatiquement. Les deux images ci-dessus ont été créées avec le logiciel Archicad.

Présenter au rétroprojecteur

La rétroprojection demeure l'outil par excellence pour informer, convaincre, animer. Elle permet d'être face à l'auditoire, de rester en salle claire, d'exposer de façon structurée.

Le matériel

L'appareil est un projecteur disposant d'une plage de travail horizontale sur laquelle on pose le document à diffuser. La netteté de l'image se règle en montant ou en descendant le support du miroir. Selon qu'on éloigne plus ou moins le rétroprojecteur de l'écran, on obtient une image plus ou moins grande.

Le transparent, il s'agit de feuilles d'acétate sur lesquelles on dessine ce que l'on veut projeter. Ces feuilles sont au format rectangulaire 21 × 29,7 ou se présentent sous la forme d'un rouleau. Des feuilles colorées permettent de réaliser des plages de teintes différentes.

Les feutres spéciaux sont à encre soluble (lorsque le document est appelé à être modifié) ou à encre permanente, de couleur et d'épaisseur variables. Le noir, le rouge et le bleu sont les couleurs les plus lisibles.

L'écran peut être mobile ou fixe. Pour avoir la luminosité la plus grande on choisit un écran multicellulaire. Il augmente le champ de la projection. On veille à ce que la base de l'écran ne se trouve pas sous le niveau des tables des spectateurs.

L'utilisation

Elle est fonction de l'organisation de l'exposé.

La focalisation progressive : on projette une succession d'images qui vont du plan le plus général au point particulier que l'on veut mettre en évidence ; ou inversement du particulier au général.

L'évolution chronologique : sur un même transparent on dessine l'état d'une situation à un moment donné, et l'état de la même situation à une autre date. On dévoile le dessin du second état, dissimulé par une feuille de papier glissée entre le transparent et la plage de travail, lorsqu'on a fini le commentaire du premier.

La modification progressive : en cours d'exposé des informations complémentaires viennent s'ajouter sur le transparent. On superpose des éléments figurant sur des rabats.

Commenter la rétroprojection

Commentaire avant la projection : on sensibilise les spectateurs à ce qu'ils vont voir.

Commentaire en même temps que la projection : image et discours viennent se fondre. Dans ce cas les deux modes d'information perdent de leur pouvoir.

Commentaire après la projection : l'image sensibilise le spectateur.

Montrer un détail : on peut, soit rester près du rétroprojecteur et indiquer le point particulier au moyen d'un crayon posé sur le transparent, soit le pointer à l'aide d'une baguette sur l'écran.

POUR RÉALISER UN TRANSPARENT

Règle 1
Laisser une marge de 2 cm sur les quatre côtés de la feuille d'acétate.

Règle 2
Centrer le texte au milieu de la feuille.

Règle 3
Éviter les caractères machine. Ils sont trop petits.
Lettres de 5 mm de haut pour projection à 10 mètres.
Lettres de 10 mm de haut pour projection à 15 mètres.
Utiliser le normographe ou les lettres transferts.

Se limiter à trois ou quatre types de lettres.

PARTIR **PARTIR**

Règle 4
Les caractères penchés se lisent moins bien que les caractères droits.
Les caractères étroits et en hauteur se lisent difficilement.
Préférer les majuscules aux minuscules. Varier la hauteur des caractères selon l'importance de l'information.

L'IMAGE DE CINEMA.

- L'OBJECTIF

- LE FORMAT DU FILM

Règle 5
Utiliser des dessins symboliques. Employer des flèches, des encadrements : le message se retient plus facilement.

CONSOMMATION ENERGETIQUE

DES MENAGES

DES ENTREPRISES

Règle 6
Éviter les textes obliques ou verticaux, ils gênent la lecture.

Règle 7
Employer au maximum 6 mots par ligne et 8 lignes par feuille.
Composer le titre sur une seule ligne.

Règle 8
Utiliser des couleurs. Elles améliorent l'attention et facilitent la mémorisation.
Il faut choisir les couleurs les plus visibles à distance. C'est-à-dire, dans l'ordre le noir, le bleu, le violet, le vert et le rouge.

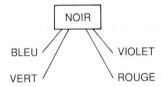

Règle 9
Utiliser les images. Elles frappent l'imagination.

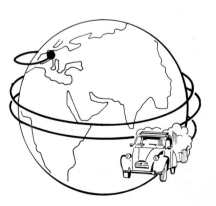

Confronter, comparer

Lors d'un exposé ou d'une intervention, on peut être amené à comparer des représentations graphiques (images, photos, schémas...) Afin de gagner en efficacité, on adopte une stratégie rigoureuse.

Quelles illustrations confronter

Si l'on vient pour expliquer. On choisit des dessins pour indiquer les étapes successives d'un processus. Un schéma fléché permet d'expliquer le fonctionnement d'un équilibre écologique ou celui des institutions d'un pays.

S'il faut choisir un matériel. On présente des photos, parfois des dessins. La photo possède une valeur d'objectivité, alors que le dessin fait appel à l'imaginaire.

S'il faut prendre une décision. On compare des plans, des cartes lorsqu'il s'agit de déterminer la bonne implantation d'une usine dans une région, d'une machine dans un atelier. On confronte des schémas lorsqu'il s'agit de décider l'organisation d'une production, d'une institution.

Le commentaire

Pour confronter deux images on choisit l'une d'elles comme référence, et on analyse l'autre par comparaison.

Présenter les similitudes
— les références : on précise qu'il s'agit du même auteur, si les deux images sont de la même époque, s'il s'agit ou non du même support (tableau, photo, graphique,...);
— le thème : on apprécie le sujet, l'idée principale développée par les deux images. On indique s'il s'agit ou non de la même chose. Si ce n'est pas le cas on précise les relations qui peuvent relier les deux images;

— le traitement : on présente les similitudes entre les deux réalisations. Par exemple, s'il s'agit de tableaux de nombres on fait constater que les unités sont identiques dans les deux cas.

Présenter les modifications
— la taille : on évalue les variations dans la taille de ce qui est représenté. On présente ce qui a augmenté en taille ou en volume, et on essaie de quantifier lorsqu'on le peut ces augmentations ou ces diminutions;
— les couleurs : lorsque la couleur est présente dans les documents à confronter, on insiste sur les modifications de l'intensité ou les changements de couleur. On commente ces modifications en proposant l'explication;
— les déplacements : on fait repérer les objets identiques dont la place a changé. Ces changements indiquent une volonté de la part des réalisateurs. C'est celle-ci qu'on explique;
— les transformations : certains éléments de la première image peuvent se retrouver dans la seconde sous une autre forme. Il faut alors le signaler pour en proposer une explication.

Présenter les différences
— les ajouts : on indique les éléments qui figurent dans la seconde image et qui étaient absents de la première. On établit les relations qu'ils entretiennent avec les éléments communs aux deux images. On met ensuite en évidence leur spécificité.
— les suppressions : on fait remarquer les éléments qui disparaissent dans la seconde image. On précise les raisons de cette disparition.

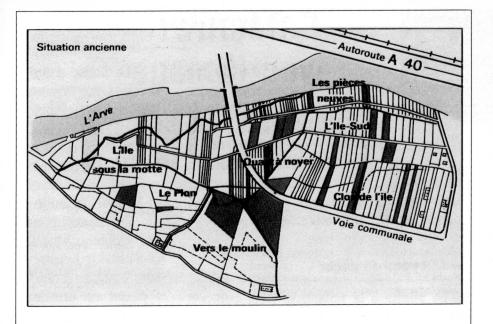

Situation ancienne

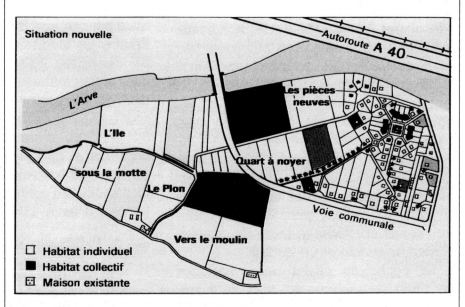

Situation nouvelle

☐ Habitat individuel
■ Habitat collectif
⊡ Maison existante

La modification du paysage à la suite des procédures de remembrement en Haute-Savoie à Maglang. La confrontation des deux plans permet de constater l'urbanisation du site et la disparition de paysages entiers, remplacés par d'autres qui ne présentent pas le même charme aux yeux de tous.

Décrire avec l'image

L'utilisation de l'image est le procédé le plus pratique pour décrire un lieu ou un objet. Elle élimine toute erreur d'interprétation. Elle limite l'imaginaire.

Quel type d'illustration choisir

Vue extérieure : c'est une image (photo ou dessin) de l'objet tel qu'il se présente dans la réalité. On présente ainsi son enveloppe extérieure. On choisit l'angle de vue qui donne le plus de détails. Par exemple, un appareil photographique est présenté en plongée. On peut ainsi voir les différents boutons et mollettes de sa partie supérieure.

Vue anatomique : c'est une image qui présente le contenu. Une coupe de l'objet permet de montrer ce qui est à l'intérieur. On supprime l'enveloppe pour ne présenter que les éléments intéressants. On décrira le mécanisme de la visée de l'appareil photo par une vue anatomique qui laissera apparaître le jeu des miroirs.

Flécher l'illustration

Lorsque les parties constitutives sont nombreuses il faut les identifier. On relie par un trait fin chacune d'elles à un symbole (chiffre ou lettre). Dans une liste située sous le dessin ou sur son côté, on écrit le nom de la partie en face du symbole.

Mettre en place une légende

Lorsque des informations viennent se rajouter à une vue extérieure, comme dans le cas d'une carte de géographie, on codifie celles-ci sous forme de symboles. Une légende permet de connaître la signification des symboles employés.

L'utilisation des couleurs permet également de faciliter la lecture du dessin. On emploie des couleurs de même tonalité pour des éléments associés. On use de couleurs complémentaires pour marquer une opposition.

Le commentaire

Il détaille ce que l'image ne décrit pas. Il suit différentes étapes.

Il présente l'ensemble en indiquant la forme générale et les dimensions. La description générale est réalisée au présent. Elle est introduite par un présentatif (voici, voilà,...)

Il détaille chacune des différentes parties en donnant leur nom d'abord, puis
— leurs caractéristiques générales : formes, dimensions, aspect de surface ;
— leur localisation par rapport à l'ensemble du système. On commence par la partie qui déclenche le mécanisme ;
— leur localisation par rapport aux autres parties du système. Vocabulaire : à gauche, à droite, au-dessus, en dessous, jouxtant, en relation avec, contigu, accolé, attenant, avoisinant, mitoyen, au contact de, à proximité immédiate,...

Il respecte l'ordre fonctionnel, c'est-à-dire qu'il présente à la suite les unes des autres les différentes parties actives dans une fonction. Même si un autre élément vient s'intercaler. Celui-ci sera présenté lorsque toute la chaîne l'aura été.

ÉLÉMENTS DE DÉFORMATION DE LA CARROSSERIE

1 Partie avant de côté d'auvent
2 Echarpes et traverses
3 Longerons doubles
4 Marquages dans les longerons
5 Traverse avant
6 Fixation de colonne
7 Tunnel

8 Pied avant (bas)
9 Longeron diverg. soudé au bavolet
10 Carenage soudé
11 Corps creux anti-intrusion
12 Traverse sous siège
13 Traverse inférieure de baie
14 Renfort latéral inf. de porte

15 Brancard soudé
16 Remontée de plancher
17 Bavolet
18 Pied milieu (bas)
19 Traverse de suspension arrière
20 Pied arrière (bas)
21 Pied avant (haut)

22 Traverse avant de pavillon
23 Raidisseur de pavillon
24 Pied milieu (haut)
25 Pied arrière (haut)
26 Traverse arrière de pavillon
27 Montant de custode
28 Anneau de porte de coffre

29 Renfort sous tablette arrière
30 Tirant de structure
31 Longeronnet arrière
32 Raidisseur arrière
33 Renfort de bandeau de porte avant

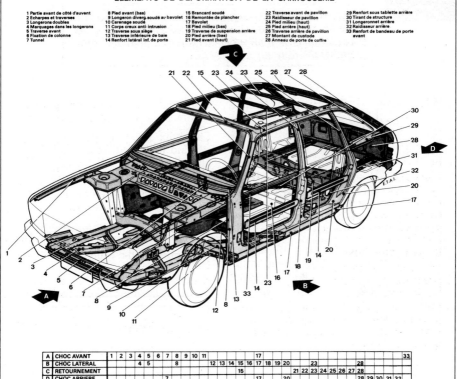

		1	2	3	4	5	6	7	8	9	10	11			12	13	14	15	16	17	18	19	20		21	22	23	24	25	26	27	28			29	30	31	32	33
A	CHOC AVANT	1	2	3	4	5	6	7	8	9	10	11								17																			33
B	CHOC LATERAL				4	5			8						12	13	14	15	16	17	18	19	20				23					28							
C	RETOURNEMENT																	15						21	22	23	24	25	26	27	28							
D	CHOC ARRIERE							7												17			20									28	29	30	31	32	

Document proposé par Barbara Tréfelle.

Ce dessin anatomique présente les éléments de déformation de la carrosserie d'une automobile.

Les flèches noires indiquent la direction des chocs possibles. Le tableau en dessous présente pour chaque type de choc les pièces qui peuvent être touchées. Ces pièces sont reliées à des numéros par un trait fin. Le numéro permet l'identification de la pièce par l'intermédiaire de la nomenclature placée au-dessus du dessin.

Exposer
sur un panneau

Un panneau d'exposition donne une information succincte. Il doit permettre de comprendre les résultats et le résumé de la question abordée, sans que le lecteur ait à s'arrêter.

Un support lisible

La surface du panneau représente environ 1 m². Ses dimensions sont généralement d'1 m×1,20 m. Il est souvent présenté verticalement.

Un panneau comporte entre 10 et 16 masses. On appelle masses les surfaces qui seront posées sur le panneau : titres, sous-titres, textes, illustrations, flèches.

Les titres doivent être lisibles à 5 mètres. Ils sont rédigés en lettres de six ou sept centimètres de hauteur, et d'une épaisseur d'environ 1 cm.

Dans un panneau d'information le titre prend entre le quart et la moitié de la surface occupée (surface occupée = titre + texte ou illustration).

Les sous-titres sont composés de lettres lisibles à environ 2 mètres de distance ; hauteur de 2 cm.

Titres et sous-titres dirigent le sens de la lecture et apportent l'information essentielle. Ils sont rédigés en minuscules pour une meilleure lisibilité.

Les textes sont courts. Les phrases sont brèves, de construction simple. Les lettres minuscules, pour une meilleure lisibilité, mesurent environ 1 cm sur 0,3 cm d'épaisseur.

On met en valeur l'information par le jeu des contrastes
— l'opposition des couleurs : (noir/blanc, bleu/rouge...),
— l'opposition image et texte,
— l'opposition des scènes de chaque image.

Choisir une mise en page

Le choix du type de mise en page dépend de la nature de l'information. Quand on présente le thème, sur le premier panneau, on peut adopter une disposition mosaïque.

La disposition mosaïque offre un éventail de lectures possibles. Elle donne une impression d'éclatement, d'absence

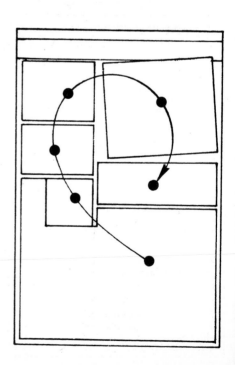

de lien entre les informations. Elle laisse le lecteur libre de son cheminement.

La disposition horizontale organise les documents selon des lignes horizontales qui partagent le panneau. Elle suit le sens normal de la lecture. Elle donne une impression rassurante.
C'est la disposition horizontale que l'on adopte lorsque l'on doit présenter sur un panneau le déroulement des différentes étapes d'un processus.
Dans le cas de la disposition horizontale, la longueur des titres et des soustitres doit être limitée à une ligne.

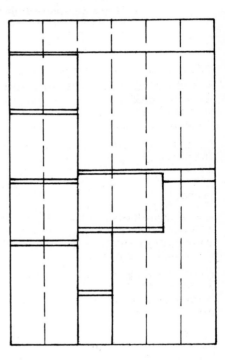

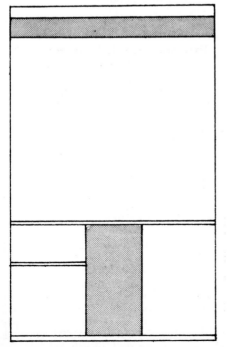

La disposition verticale divise le panneau en cinq à huit colonnes. Elle donne une impression de rigueur, de précision scientifique. On l'utilise à chaque fois que les informations doivent être classées par rubrique. Lorsqu'on présente un raisonnement de type cause/conséquence on peut préférer une mise en page verticale.
L'information s'organise selon un quadrillage du panneau. On place les premières informations de la démonstration en haut des colonnes de gauche et la conclusion en bas des colonnes de droite. Des flèches ou des repères chiffrés guident l'ordre de la lecture.

Réaliser un portrait photographique

La photographie a hérité de ce qui avait été long-temps demandé à la peinture : fixer l'apparence d'une personne à un moment donné.

Rôle et fonction

Au XVIIIᵉ siècle, avant l'avènement de la photographie, le portrait connut une importance grandissante en relation avec l'ascension de larges couches de la société. « Faire faire son portrait » était un acte qui garantissait une considération sociale. Cet usage aristocratique se répandit dans les milieux bourgeois.

Après 1851, les photographes furent en mesure de travailler en instantané et de saisir une expression caractéristique de leur modèle. Le portrait devint l'activité la plus importante de la photographie professionnelle : en 1866, il y avait à Paris environ 300 studios de portrait.

La demande de valorisation du modèle évolue progressivement vers une recherche de l'expression. L'art de Nadar (premier grand portraitiste qui, en 1853, ouvre un atelier où affluent les personnalités artistiques et littéraires de l'époque) consiste à ne pas embellir mais à saisir à travers le portrait la dimension intérieure, la personnalité d'un individu.

La technique utilisée

Image très précise (dite image définie) : elle peut être obtenue grâce à la qualité de l'objectif (notion de piqué) et à l'utilisation d'appareils de grand format (6×6, 6×7, 6×9, chambres photographiques), chaque détail mais aussi chaque défaut est parfaitement lisible.

Image adoucie : les appareils plus répandus de petit format (24×36) don-nent généralement une image plus douce.

Image naturelle ou déformée : un petit téléobjectif (focale comprise entre 75 et 135 mm pour un 24×36) produit un effet de perspective naturelle qui ne déforme pas. L'utilisation du grand angle (focale inférieure à 40 mm pour un 24×36) provoque des déformations qui peuvent être utilisées dans un but expressif. Les gros téléobjectifs susci-tent un effet d'écrasement et sont rare-ment utilisés pour le portrait.

La lumière

Extérieur : le soleil de midi crée des reliefs importants et un éclairage dur. Une lumière légèrement tamisée par la brume ou les nuages adoucit un visage. Si le personnage est photographié en contre-jour, on obtient un effet de sil-houette, sauf si des éléments naturels (feuillages, mur) réverbèrent la lumière. On utilise parfois un *flash* pour rendre lisibles les zones trop foncées.

Intérieur : une solution peut consister à photographier le sujet près d'une fenêtre (éclairage latéral) et à provo-quer une réfraction de la lumière grâce à la proximité d'un mur clair.
Dans tous les autres cas, il est néces-saire de recourir à un éclairage artifi-ciel : on utilise couramment le *flash* électronique qui produit une lumière plate et des ombres marquées. Pour pal-lier ces inconvénients, on dirige le *flash* vers le plafond ou vers un mur pro-che : l'image est alors plus douce et comporte un certain relief.

fond fermé

Photographier un paysage

On photographie un paysage parfois pour exprimer une émotion fugace, mais le plus souvent pour garder un souvenir.

Le format de la photo

Le format horizontal donne une impression de repos, de profondeur, de froideur alors que le format vertical donne une impression d'action, de proximité, de chaleur.

La profondeur de la photo

Dans une photographie l'impression de relief est donnée à partir du moment où les plans sont différenciés par des valeurs colorées allant de la plus foncée à la plus claire.

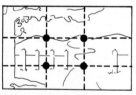

Avant plan

3 plans

Le cadrage de l'image

Le cadrage consiste à mettre en valeur un élément du paysage. On déplace l'appareil pour ne pas laisser envahir l'image par des éléments secondaires. Lorsqu'on a clarifié la composition on place le centre d'intérêt sur un des quatre points forts de l'image.

Les lignes de construction

La ligne horizontale est une ligne calme plate et froide. Elle assagit l'image.

La ligne verticale exprime la hauteur. Elle s'oppose à la pénétration en profondeur dans le paysage. Elle fait barrière.

La ligne oblique introduit une impression de désordre dans la photo. Elle doit être rééquilibrée par des horizontales ou des verticales.

Les diagonales sont animées d'un dynamisme puissant. On évite que l'œil ne sorte de la photo en les bloquant par une horizontale ou une verticale.
La répétition de ces lignes dans l'image crée un rythme.

Joachim Sändig, Grues

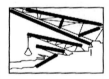

Obliques

Point fort

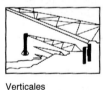

Horizontales

Verticales

Lignes de construction

Dans ce paysage portuaire, le point fort est placé au second plan. Il est mis en évidence par sa position à proximité de la section verticale de la photographie, et par la tache sombre qu'il représente sur le ciel gris.

Les obliques des grues se trouvent équilibrées par les verticales des cabines et des câbles des mâchoires. Leur répétition donne un rythme égal à l'image.

La ligne d'horizon est sous l'axe horizontal de la photo, ce qui crée une image ouverte sur le ciel.

La profondeur de champ est accentuée par le bras de la première grue, qui déborde le cadre de la photographie.

157

Projeter des diapositives

Le montage de diapositives, qu'on appelle aussi dia-porama, est un des moyens audiovisuels fréquem-ment utilisés dans la formation des adultes ou dans l'animation-vente.

La préparation

Le matériel à réunir :
— les diapositives et le nombre suffi-sant de paniers pour éviter les manipu-lations en cours de projection ;
— le projecteur, un fusible et une lampe de rechange ;
— le magnétophone et la bande audio calée au point de départ. Un synchro-nisateur dans le cas d'une projection automatique ;
— l'écran ;
— le nombre de chaises et de tables cor-respondant à l'audience ;
— les rideaux de la salle de projection ;
— une lampe d'ambiance.

La succession des images

Durée et temps de projection
La durée de la présence à l'écran d'une diapositive dépend du commentaire qui lui est associé. Elle est comprise entre dix secondes et deux minutes.
La rapidité dans la succession des dia-positives crée le rythme du montage. On fait varier ce rythme au cours du montage pour ne pas lasser l'auditoire.

Dans quel ordre les images doivent-elles se succéder ?
— Ordre chronologique, lorsque les images expliquent un processus. On l'organise du point de départ vers l'aboutissement. Les plans peuvent res-ter identiques.
— Ordre déductif ; on part d'un phéno-mène général (plan d'ensemble) et on va vers un point particulier (gros plan).

— Ordre inductif ; on part d'un cas par-ticulier (plan moyen) et on généralise (plan d'ensemble).

Relancer l'attention

Jouer sur le rythme de la présentation. En alternant des phases rapides et des phases lentes on modifie l'attitude d'écoute des spectateurs.
Alterner les cadrages. Une succession de cadrages identiques émousse l'atten-tion. Briser cette uniformité la réactive.
Varier les couleurs. Si la tonalité du montage est uniforme, elle lasse. L'emploi de couleurs chaudes et de cou-leurs froides en alternance brise l'accoutumance et réveille l'intérêt.

Commentaires et bruitages

Le commentaire : tapé à la machine pour plus de lisibilité. On place en marge à droite le numéro de la diapo-sitive en face de la phrase correspon-dante. Le style du commentaire doit être simple. Les phrases courtes sont plus faciles à comprendre. L'image suf-fit, le commentaire ne décrit pas ce qui est montré. La principale contrainte consiste à adapter le commentaire au public auquel il est destiné.

La musique : les thèmes musicaux enre-gistrés sont diffusés lorsqu'il n'y a pas de commentaire. Leur rôle est de don-ner un rythme au diaporama et de créer une atmosphère sonore.

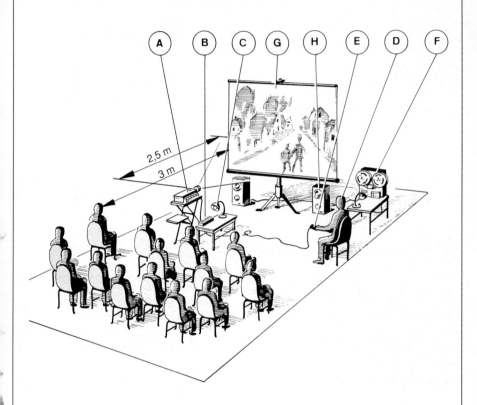

A **Le projecteur.** Il est placé sur un support stable. L'objectif est centré sur le milieu de l'écran pour éviter les déformations.

B **Table** sur laquelle sont classés les paniers de diapositives. L'ampoule de rechange et le fusible sont posés sur cette table.

C **Petite lampe d'appoint.** On l'utilise lors du changement des paniers.

D **Le commentateur.**

E **La télécommande** du passage des diapositives lorsqu'il n'y a pas de synchronisateur.

F **Le magnétophone.** Il est posé sur une table. On peut prévoir une petite lampe d'appoint.

G **L'écran.** Dimensions : de 100 × 100 à 180×180. Quatre qualités : écran mat, peu lumineux mais angle de diffusion des rayons ouvert ; écran métallisé : plus lumineux il convient dans une salle où on manque de recul ; écran perlé : donne une image très lumineuse mais dans un angle limité à 30° ; écran lenticulaire : images très brillantes, nettes dans un angle de 120°.

H **Les haut-parleurs.** Ils sont placés derrière ou sous l'écran.

SOURCES DES ILLUSTRATIONS

p. 5 : BRIDGEMAN ART LIBRARY ; p. 9 : DAGLIORTI ; p. 11 : DESSAIN ET TOLRA EDITEURS ; p. 13 : EDIMEDIA ; p. 15 : CASTERMAN/HERGE LE TRESOR DE RACKHAM LE ROUGE ; p. 17 : DAGLIORTI ; p. 23 : GIRAUDON ; p. 25 : GIRAUDON ; p. 33 : RMN ; p. 37 : EDIMEDIA ; p. 39 : LAUROS GIRAUDON ; p. 41 : LAUROS GIRAUDON ; p. 43 : GIRAUDON ; p. 47 : h, MUSEE NATIONAL D'ART MODERNE ; mg : LAUROS GIRAUDON ; md : EDIMEDIA ; b : LAUROS GIRAUDON ; p. 45 : RAPHO/W. RONIS ; p. 49 h et b et p. 51 : BIBIOTHEQUE NATIONALE ; p. 53 : PLANTU ; p. 55 : CASTERMAN/HUGO PRATT, LES ETHIOPIQUES ; p. 57 : D. R ; p. 59 : CASTERMAN HERGE LE TRESOR DE RACKHAM LE ROUGE ; p. 61 : KFS OPERA MUNDI/RAYMOND, FLASH GORDON, D.R ; p. 67 / LES EDITIONS D'ORGANISATION ; p. 71 : IGN ; p. 77 : ROGER VIOLLET ; p. 79 : MAGNUM/HENRI CARTIER BRESSON ; p; 81 : MAGNUM/HENRI CARTIER BRESSON ; p. 83 : ASSOCIATED PRESS ; p. 85 : MARIE CLAIRE BIS/CHRISTOF GSTALDER ; p. 87 : CNRI ; p. 89 : IGN ; p. 91 : hg : JERRICAN/LIMIER ; hd : MAGNUM/FREED ; bg : JERRICAN/LIMIER ; bd : MAGNUM/ZACHMANN ; p. 93 : MAGNUM/FRANKLIN ; p. 95 : EDITIONS BERNARD BARRAULT ; p. 97 : D.R ; p. 99 : LUSTUCRU/D.R ; p. 103 : JEAN LOUP CHARMET/ D.R ; p. 105 : SANOFI ; CREDIT LOCAL DE FRANCE ; BULL ; INFORMAT REGION PICARDIE ; AIR FRANCE ; p. 107 : Mr CRUSE ; p. 109 : EDITIONS GALLIMARD/HENRI GALERON ; p. 111 : VIRGIN FRANCE ; p. 115 : LAND ROVER ; p. 117 : D.R ; p. 119 : CHRISTOPHE L. ; p. 121 : CHRISTOPH L. ; p. 125 : CINEMATHEQUE FRANCAISE ; p. 127 : ENCYCLOPAEDIA UNIVERSALIS ; p. 129 : L'ARGONAUTE/D.R ; p. 133 : CINESTAR ; p. 143 : JERRICAN/ CONTIER ; p. 151 : L'EXPERT AUTOMOBILE ; p. 155 : MAGNUM/FRANCK ; P. 157 : DESSAIN ET TOLRA EDITEURS ;
(c) SPADEM 1990 : MALEVITCH, MELIES, MONDRIAN, MONET, POLLOCK
(c) ADAGP 1990 : MIRO
(c) SUCCESSION H. MATISSE

Edition : Sylvie Ogée
Coordination artistique : Claire Baujat
Maquette : Françoise Crozat
Illustrations : D.P. associés, Laurent Blondel, Christian Maucler p. 19, 21 et 35
Iconographie : Claire Balladur

Couverture : Pascal Pinet

N° d'éditeur : 10043307 - (VI) - 27,2 - (CABF) - 80° - CP - Octobre 1997
Achevé d'imprimer par CLERC S.A. - 18200 Saint-Amand-Montrond - N° d'imprimeur : 6611
Imprimé en France